PARLE-MOI D'AMOUR

MICHEL QUOIST

PARLE-MOI D'AMOUR

LES ÉDITIONS OUVRIÈRES
IRIS DIFFUSION INC. — NOVALIS

OUVRAGES DU MÊME AUTEUR PARUS AUX ÉDITIONS OUVRIÈRES *

La Ville et l'Homme (épuisé)
Prières
Réussir
Le Christ est vivant
Jésus-Christ m'a donné rendez-vous
L'Évangile à la télévision
Michel Quoist, à cœur ouvert
Aimer ou le journal de Dany
Donner ou le journal d'Anne-Marie

* Tous ces ouvrages ont été traduits en plusieurs langues et atteignent des chiffres de vente très importants (*Prières :* traduit en vingt-quatre langues et plus de deux millions d'exemplaires vendus dans le monde ; *Réussir :* traduit en vingt-trois langues et plus d'un million et demi d'exemplaires vendus ; *Le Christ est vivant :* traduit en dix-sept langues ; etc.).

Imprimé en France Printed in France

Pour la troisième édition 1986 :
© Les Éditions Ouvrières ISBN 2-7082-2495-6
© Iris diffusion INC. ISBN 2-920052-11-X
© Novalis ISBN 2-89088-257-8

A mes amis lecteurs

Je vous remercie *de bien vouloir lire jusqu'au bout cette introduction.* Elle vous évitera de rechercher dans ce livre ce que je n'ai pas voulu y mettre et vous expliquera pourquoi j'ai adopté, pour le rédiger, une forme littéraire inhabituelle. En effet, si vous connaissez tel ou tel de mes autres ouvrages, vous serez peut-être surpris de constater que cette forme diffère totalement des précédentes.

L'amour banalisé, « chosifié »

Dans le monde actuel, vous le savez comme moi, l'amour est dangereusement dévalorisé. D'une façon générale, certains ne croient plus à l'amour et plus particulièrement à l'amour dans le couple. Le mariage n'est plus nécessaire ; la fidélité ? pas possible ; les essais ? indispensables ; l'amour ? un plaisir physique, une « technique » qui s'apprend et qu'il faut à tout prix réussir...

Certes, l'amour n'est plus tabou. On en parle. Heureusement. Garçons et filles sont initiés. Mais comment ? Cours de sciences naturelles, schémas, conseils multiples pour « faire l'amour » sans risque, etc.

Parallèlement, certains jeunes commencent à se lasser d'une éducation sans âme et de nombreuses expériences décevantes. D'autres, plus âgés, fiers de s'être enfin libérés des contraintes et des préjugés du passé, ne trouvent pas le bonheur au bout de leurs aventures.

L'amour serait-il « autre chose » ? Quelques-uns commencent à l'entrevoir et souhaiter le découvrir.

Dans certains pays, aux États-Unis en particulier, les valeurs du couple, de la fidélité et même de la virginité avant le mariage, sont redécouverts. Des aspirations nouvelles se font jour. Elles sont un appel de la vie qui risquait de mourir si l'amour mourait.

L'amour, un grand mystère

Il faut redonner à l'amour sa vraie place et sa vraie dimension.

Sa vraie place, elle est au cœur de l'homme et au cœur de l'histoire du monde. L'amour est la force, l'Énergie essentielle, sans laquelle homme et monde ne peuvent se développer harmonieusement et connaître le bonheur. Sa vraie dimension, elle est infinie. L'amour dépasse l'amour. Il vient d'ailleurs et vole vers l'ailleurs. Pour le croyant, l'amour vient de Dieu et va vers Dieu. Dieu « est » Amour.

Dans cette grande Aventure, le couple et le foyer sont au centre. C'est l'amour qui se fait chair et fait vivre la vie, comme un jour Dieu-Amour a pris visage d'homme et s'est fait Lui-même « chair », pour nous donner la Vie.

Quel est ce livre ?

Ce livre n'est pas un exposé systématique sur l'amour, encore moins un livre de recettes pour réussir en amour. Il n'est pas non plus une « histoire d'amour » présentée comme un exemple. C'est un recueil de textes de *réflexions et de méditations sur l'amour,* pour tenter d'aider quelques lecteurs à en découvrir ou redécouvrir la beauté, la grandeur, mais aussi les exigences.

Certes, cette méditation est habillée d'une histoire : un jeune visite régulièrement un Sage qui lentement le guide dans sa découverte de l'amour. Mais cette histoire n'est qu'*un support* artificiel, une occasion pour introduire à la méditation. Histoire volontairement floue où s'expriment deux personnages principaux au visage à peine esquissé, afin de laisser à l'imagination des lecteurs un espace de liberté suffisant, pour leur permettre de retrouver, au-delà des circonstances particulières, leur propre *recherche du cœur.*

Réel ou irréel ?

Pourquoi avoir adopté cette forme, apparemment si loin de la vie réelle ? Pour *tenter de « repoétiser » l'amour,* lui restituer sa profondeur en faisant entrevoir son mystère.

L'amour ne sortira jamais parfaitement programmé de nos machines électroniques ingurgitant leurs cartes perforées. Il ne livrera pas ses secrets au bout des autopsies de savants patentés. Seule, la contemplation peut atteindre le réel dans toutes ses dimensions. La poésie peut être un chemin privilégié pour y parvenir. Elle n'est pas irréelle ; elle est un moyen de connaissance pour accéder à l'au-delà intérieur du réel, là où celui-ci ne se laisse saisir qu'à travers des symboles.

Les limites de ce livre

L'Aventure de l'amour recouvre toute la vie. Or, ce livre est *volontairement limité* à quelques aspects de l'amour, spécialement dans sa deuxième partie, à l'amour du couple et de l'enfant. A ce point de vue, il est artificiel car l'homme se développe à travers toute sa vie : ses relations interpersonnelles, sa vie d'étudiant, sa vie professionnelle, sa vie de loisirs, son milieu, la société dans laquelle il évolue... Mais on ne peut tout dire. Il fallait choisir. J'ai isolé la démarche intérieure, celle du cœur, à la demande de nombreux jeunes en recherche pour leur futur foyer, et d'adultes voulant redécouvrir quelques racines essentielles de leur amour difficile.

J'ai beaucoup insisté, je le reconnais, sur *les difficultés de l'amour.* Pourquoi ? D'une part, par réaction contre l'attitude de tant et tant de garçons et de filles qui embarquent pour leur vie d'amour comme pour une croisière d'agrément. Vivre l'amour est facile, pensent-ils. Il est attirance mutuelle, réponse à un impérieux besoin. Il suffit de se laisser aller... !

D'autre part, à l'inverse, j'ai souvent rencontré des hommes profondément déçus. Ils idéalisaient l'amour sans en mesurer les difficultés. Ils se sont heurtés aux multiples obstacles de la vie et, profondément blessés, ils perdent tout espoir : « Ce n'était pas ce que j'avais rêvé », disent-ils !

Pour ces raisons, j'ai tenté de montrer que l'amour est une très belle mais difficile aventure, qu'elle se poursuit au long d'une vie entière et ne s'épanouira pleinement que dans la rencontre définitive du Dieu-Amour.

Aimer, ce n'est pas se « laisser conduire » par un merveilleux sentiment ; c'est, soulevé, soutenu par ce sentiment, *vouloir de toutes ses forces* et jusqu'au prix de sa vie, faire le bonheur des autres, d'un autre.

Par contre, je n'ai pas brandi les « interdits » et décrit la noirceur du « péché ». Quelques-uns le regretteront peut-être qui voudraient, à nouveau, faire danser les flammes de l'enfer aux yeux indifférents des hommes d'aujourd'hui. *Il faut certes être clair sur le but à atteindre et la route à emprunter,* mais je suis sûr que, si l'on peut par la peur faire respecter un règlement, on ne peut *jamais* par la peur entraîner à aimer. Je sais aussi — pardonnez-moi mon assurance — que si, grâce au Seigneur, j'ai pu quelquefois ranimer une flamme, c'est la flamme de l'amour et non celle de l'enfer.

Mes propres limites

Repoétiser l'amour, faire entrevoir la profondeur infinie de son mystère... ! C'est un objectif ambitieux et de ma part, sûrement prétentieux. Sachez que je mesure pleinement l'humiliant décalage entre le but entrevu et les limites de mes moyens. Il aurait fallu beaucoup de temps pour travailler et perfectionner ce texte. Plongé dans l'action, je n'en ai guère à ma disposition. Il aurait surtout fallu être un grand poète et un grand mystique, c'est-à-dire un homme au regard de foi assez pur pour VOIR au cœur de ceux qui aiment, *Dieu Vivant qui fait signe.* Je ne suis ni l'un, ni l'autre. Comme vous, j'essaye d'aimer. Je n'y parviens pas toujours.

Ayez donc la bonté d'accueillir ce livre comme *un essai.* Mon excuse est d'avoir été invité à l'écrire ; mon assurance, d'avoir fait vérifier comme à l'habitude, au fur et à mesure de son écriture, la portée de mes mots.

De tout mon cœur je remercie tous ces lecteurs bénévoles, spécialement les jeunes, qui m'ont fait le précieux cadeau de leurs remarques et de leurs encouragements. Sans eux, peut-être aurai-je abandonné.

Ma certitude, enfin, c'est que dépassant les imperfections de ce livre, vous saurez en le lisant non comme un roman qu'on parcourt en une soirée (1) mais peu à peu, comme un livre de méditation, retrouver au-delà des mots malhabiles votre propre recherche.

Aimer est bien la grande et unique aventure de la vie. Là, Dieu nous attend.

Michel Quoist

---

(1) Je me permets de souligner également que ces textes ne sont pas à parcourir « des yeux » mais *à lire,* pour que soit restitué le rythme que j'ai essayé d'y introduire. C'est aussi la raison pour laquelle j'ai fait suivre l'ouvrage d'un index, où l'on peut retrouver certains passages susceptibles d'être lus au cours d'une veillée ou d'une célébration.

PREMIÈRE PARTIE

Vivre, c'est aimer

AMI, assieds-toi
Je te conterai..

ÉCOUTE avec ton cœur
sinon tu n'entendras que le murmure des mots
mais tu ne goûteras pas la saveur de leur chair...

1

J'avais vingt ans… ou bien vingt-cinq, ou plus, ou moins… Peu importe !

Je voulais vivre mais je ne savais pas pourquoi vivre, ni comment vivre.

Je cherchais.

Je cherchais jusqu'à l'angoisse, me cognant aux mirages de mes déserts.

***

J'avais faim !

Mon corps avait faim. Ma chair vivante, comme des millions de bouches folles, cherchait à dévorer jusqu'aux plus petites miettes de plaisirs, ramassées sur les bords de mes chemins.

Mon esprit avait faim. Pour le nourrir, je recueillais pêle-mêle toutes les idées qui traînaient dans les livres, les images, et les mots sur les lèvres des hommes, mais ma tête était ruche bourdonnante qui ne donnait son miel.

Quelquefois, plus loin, plus avant dans cette pauvre tête, là où, je le pressentais, finit la terre pour un autre univers, quelques rayons de soleil illuminaient ma nuit, mais aussitôt les nuages venaient effacer la lumière.

Il me restait le rêve. Il m'emmenait très loin…

Mais est-ce vivre que de rêver sa vie ? Et l'orage bien vite s'annonçait. Éclatait. Il déchirait mes vêtements de rêve et me laissait nu, étendu sur mon lit, comme un fol amant qui ne se connaît point d'amante.

J'avais soif !

Mon cœur surtout avait soif, là-bas, au fond, tout au fond, bien au-delà de la chair et du sang, dans cet arrière-pays mystérieux dont, inquiet et tremblant, je mesurai l'infini en mesurant l'infini de ma soif.

O cette soif brûlante qui incendie tout l'être, comme un feu qui tournoie dans un gouffre sans fin !

***

Et pourtant je vivais, mais comment continuer de vivre si l'on ne sait pas pourquoi l'on vit et comment nourrir sa vie ?

Ma vie, je la traînais comme un paquet encombrant que de mauvais plaisants se repassent les uns aux autres, parce qu'ils ne savent pas quoi en faire, et qu'il est trop lourd à porter.

Mes parents m'avaient dit : nous avons fait notre devoir. Nous t'avons « donné » la vie comme on nous l'a donnée. Généreux et bien intentionnés, ils m'avaient même transmis une « morale », vieux mode d'emploi, notice à demi effacée que je déchiffrais avec peine. Mais m'avaient-ils suffisamment appris à lire ?

Le mode d'emploi disait : il faut faire ceci et ne pas faire cela. Je demandais pourquoi. Mes parents répondaient : « Parce que c'est bien, ou parce que c'est mal. » Mais je ne savais pas pourquoi c'était bien ou pourquoi c'était mal. Mes parents eux-mêmes ne le savaient pas. Quand tenace, je les questionnais, ils répondaient · « Parce que c'est ainsi. »

Très vite, je m'aperçus que mon père et ma mère ne vivaient pas toujours ce qu'ils me disaient. Les adultes autour de moi, non plus. Quant à mes camarades, beaucoup d'entre eux ricanaient en déclarant que mon mode d'emploi, depuis longtemps périmé, n'était plus applicable. Ils n'en connaissaient point d'autres et prétendaient que, de toute façon, ils seraient inutiles et qu'il ne fallait pas se poser de questions puisqu'il n'y avait pas de réponses.

L'important est de vivre, disaient-ils, puisqu'enfin maintenant rien n'est interdit, puisqu'on peut marcher sur les pelouses et cueillir à notre goût toutes les fleurs des parterres : « Fais tout ce que tu as envie de faire, et tu seras heureux ! »

Je le fis.

...

J'ai parcouru beaucoup de jardins, je les ai souvent piétinés et j'ai cueilli les fleurs de plaisir. Mais de vrai bonheur je n'ai point trouvé. Quelquefois, je l'ai effleuré en quelques heures fugitives. Mais, comme bouchées fondantes en ma bouche trop avide, ces maigres bonheurs disparaissaient sans entamer ma faim.

***

Et vous, amis, éprouvez-vous encore en votre cœur le tourment de la faim et celui de la soif ? Ou très tôt résignés, avez-vous rejoint cette multitude d'enfants prodigues, qui, partis loin de leur Père, et pauvres de leur riche héritage, se satisfont maintenant de la nourriture volée aux porcs de la ville (1) ?

---

(1) Cf. « La Parabole de l'enfant prodigue » : Luc 15-11,32.

... Et même si, fils fidèles — heureux privilégiés, depuis longtemps en la Maison — vous connaissez le goût du pain et la saveur du vin, n'avez-vous pas encore chaque jour, faim et soif ? Car je le sais maintenant, l'homme est ainsi fait — et n'est-ce pas sa grandeur mais aussi son tourment — que ses faims et ses soifs ne sont jamais apprivoisées. Au moment où il croit les dompter, elles échappent et renaissent toujours plus vivantes. Elles courent devant lui et lui s'épuise à les poursuivre sans jamais les atteindre.

L'homme est faim et soif inassouvies. Il meurt quand meurent ses désirs.

***

J'avais faim.

J'avais soif, mais je ne savais pas de quelle nourriture et de quel breuvage.

Rien n'est plus cruel que d'avoir faim, sans connaître le pain.

Rien n'est plus cruel que d'avoir soif, sans connaître le vin.

Et je pensais : « Qui me délivrera de mes tortures ? »

***

Un premier ami me dit : « Ce n'est pas en te regardant que tu pourras trouver ta route. Sors de chez toi ! Si tu demeures au port tu ne connaîtras rien de la mer infinie. »

Mais je n'avais pas de boussole et ne savais point naviguer.

Un deuxième ami me dit : « Tu trouveras ton chemin dans “ le Livre ”. Là sont engrangés des mots de Dieu pour guider les hommes et les nourrir en voyage. »

J'avais quelquefois ouvert « le Livre ». J'en respectais les mots car ils me semblaient beaux, mais chaque fois ces mots mystérieux m'échappaient, grains à l'écorce trop dure pour m'offrir leur froment.

Un troisième ami me dit : « Il te faut quelqu'un pour t'expliquer les mots. Quelqu'un qui les aie mangés et qui nourri de leur substance, puisse te redonner leur vie en des paroles d'aujourd'hui. »

Va voir le Sage ! Tout le monde raconte qu'il parle comme le Livre et que ses mots sont semences au cœur de ceux qui l'écoutent. Si ta terre est fertile, elle portera du fruit au centuple.

*
**

Je décidai d'y aller…

Ce sont mes recherches, mes doutes et mes luttes, que je vous conterai ; celles de mon cœur, et non celles de toute ma vie.

Ce sont les paroles du Sage que je vous rapporterai.

2

Le Sage habitait un minuscule appartement au fond d'un obscur couloir. Nul ne savait qui il était, ni d'où il venait. Ceux qui l'approchaient respectaient son mystère. Je le respecterai.

J'avançais à tâtons le long du corridor sombre. Ne fallait-il pas traverser la nuit pour atteindre la lumière ?

Je frappai. La porte s'entrouvrit et j'aperçus le Sage, faiblement éclairé par la lueur timide d'une fenêtre minuscule.

C'était un très vieil homme. Il n'avait pas les longs cheveux et la longue barbe blanche que sottement j'avais imaginés. Je crois même que son visage était quelconque, mais je ne le vis pas. Je ne vis que ses yeux, ou plutôt la lumière de ses yeux. Dès cet instant je crus irrésistiblement que cette lumière venait d'un mystérieux ailleurs, qu'elle était soleil et vie, et que si je l'accueillais elle illuminerait mes routes quotidiennes.

Plus tard pourtant, je douterai.

— Bonjour mon ami, dit le Sage. Je t'attendais.

Il m'observa longuement et son regard sur moi rafraîchissait mon cœur comme une rosée qui pénètre lentement une terre desséchée. Après un long silence, il murmura : tu as beaucoup de chance !

— Pourquoi dis-je ?

— Parce que tu es un homme et que tu peux chercher. La rose est belle, mais elle, elle passera sa vie de rose sans savoir pourquoi elle est belle et surtout... pour qui ?

— A quoi bon chercher si l'on ne trouve pas ?

— Qui cherche loyalement trouve, mais l'aveugle parfois refuse la lumière et le sourd ne veut pas entendre la parole.

— Je vous en prie, suppliais-je, aidez-moi à vivre ! J'ai faim et soif de vie et ne trouve point de nourriture qui puisse me rassasier.

...

Le Sage ne bougeait pas. Il ne répondait rien.

Un long silence nu se glissa dans la pièce. J'étais gêné et toussotais, espérant le chasser ; mais il demeurait là et s'installait comme un habitué de la maison. Je compris très vite à la façon dont le Sage, maintenant, souriait sous son baiser, que ce silence était pour lui plus qu'un ami, peut-être un mystérieux époux ?

Un jour, beaucoup plus tard, le Sage me le confirma. Il ajouta que cet époux donnait à son esprit tous les enfants que le bruit, jadis, lui avait refusés. Tu verras me disait-il, tu l'aimeras toi aussi et tu l'épouseras. Si tu es fidèle, je te le prédis, à chacun de tes rendez-vous avec lui te naîtront de nouveaux fils.

Aujourd'hui, je ne comprenais pas ces étranges paroles, moi qui ne fréquentais que les bruits et qui, pour meubler ma solitude, les emmenais partout avec moi et jusque sur ma couche.

Cependant, je n'étais pas venu apprivoiser le silence. Je voulais une parole et j'osais insister...

— Je veux vivre...

Le Sage ne me laissa pas finir. Il releva la tête et lentement, très lentement murmura : « *Il ne s'agit pas de vivre mais d'aimer.* »

Je ne comprenais pas davantage, mais je ne le dis pas, craignant qu'à mon pourquoi le Sage ne réponde ce que j'avais tant de fois entendu résonner dans ma tête comme le bruit d'une porte brutalement fermée : « Parce que c'est ainsi ! »

J'avais tort. Il parla le premier.

— Écoute, petit : tes faims et tes soifs t'égarent, en même temps qu'elles t'obsèdent. Tu ne pourras JAMAIS les satisfaire. Amasserais-tu toutes les nourritures de la terre pour tenter à chaque heure du jour d'en dévorer tout ton soûl que tu resterais prisonnier de ta faim et veuf de bonheur. Car ces faims ne sont pas tes vraies faims. Elles en cachent d'autres, plus tenaces, plus exigeantes encore, car elles sont infinies.

Le désir le plus profond au cœur de l'homme, de tout homme, bien avant le désir de vivre, c'est *le désir d'aimer et d'être aimé.* Là est la vraie faim de l'homme.

Il se recueillit et ajouta presque tout bas, comme s'il se parlait à lui-même : « ce n'est pas étonnant puisqu'il est fait par amour et pour l'amour ! »

— Mais la vie est première, dis-je, car nul ne peut aimer s'il n'est d'abord vivant.

— Non, nul ne peut vivre, s'il n'est d'abord aimé.

… la vie est un fleuve, et non pas une source ! Et toi…

Tu plonges dans le fleuve, en lui tu te tournes et te retournes mais le fleuve coule sous ton ventre, il échappe à tes bras.

De tes mains avides, tu tentes d'en saisir l'eau vive mais tu n'en retiens rien.

Car les gouttes rebelles filent entre tes doigts serrés et rejoignent en courant, leurs sœurs qui s'éloignent.

Quelquefois tu bondis sur la rive sauvage, séduit par une fleur aux couleurs de feux,

Mais quand fatigué, tu regagnes ton fleuve, c'est pour découvrir, rageur, qu'il est parti sans toi...

... et que ta fleur est morte.

Si las de trop lutter, tu t'arrêtes enfin au beau mitan de l'eau, pour contempler ton fleuve et tenter d'en percer le mystère

Tu le vois couler, et puis couler toujours, mais tu n'apprends rien de lui, car tu ignores encore et sa Source et sa Mer.

Ainsi la vie. Si elle coule en toi, en moi, en toute l'Humanité, c'est qu'elle est fille de SOURCE et sa source est AMOUR.

Si tu veux vivre, ne retiens pas ta vie, pour toi, elle doit caresser d'autres rives, irriguer d'autres terres. Toi, cours à la SOURCE !

La vie tu la perdras si tu veux pour toi la garder, et dans ton cœur pour en jouir, l'enfermer.
Mais tu la trouveras, si à cause de la SOURCE, tu acceptes de la perdre (1).

... J'étais fasciné, mais troublé. Ma tête tournait comme si j'étais resté trop longtemps exposé au soleil. Je me débattais. Je protestais.

— Perdre ma vie !... mais je ne veux pas mourir !

— Qui te parle de mort, je te parle de vie !

... un jour tu comprendras que *mourir n'est pas cesser de vivre, mais bien cesser d'aimer.*

***

Je remerciais le Sage et pris congé de lui. Je ne savais pas alors, si un jour, j'oserais le revoir.

---

(1) Matthieu 16,25.

3

J'étais allongé sur mon lit : mal dans ma peau, mal dans mon cœur.

Au retour du travail, souvent, quand je ne m'enfuyais pas de la maison, cherchant à éviter de pénibles et stériles tête-à-tête avec moi, j'échouais là, comme au port une barque abandonnée qui prend l'eau de toutes parts.

Ce soir-là, je tentais de réfléchir.

Près d'un mois s'était écoulé depuis ma visite au Sage. Séduit, curieux et craintif à la fois, je ne me décidais pas à le revoir. Ma tête cherchait des excuses. Elle n'acceptait pas ses paroles : étaient-ce réponses à mes questions que ces réponses-là ? Mon cœur, lui, était inquiet. Peureux, il voulait fuir, pressentant un danger. Il me murmurait tout bas : et si les paroles du Sage étaient Paroles de vérité ?

Heureusement, mon corps cria. Il avait faim, et je ne pensais plus à rien, sinon à lui trouver sa nourriture.

J'appelais d'abord les bruits, mes fidèles alliés. Ils vinrent : chansons et rythmes envahirent ma chambre. J'avais ce pouvoir magique d'augmenter leur puissance, et rageur je le fis, ignorant les voisins.

Je ferai taire mon corps, et j'étoufferai les murmures de mon cœur !

J'y parvins, mais je demeurais inquiet car je sentais qu'en moi s'approchait la tempête, une de ces tempêtes, que je redoutais tant.

⁂

Ce fut la plus forte de toutes celles que je connus.

L'orage fondit sur moi comme une tornade. Tout ce que malgré tout, de temps en temps, j'essayais de bâtir sur mon île, comme pierre sur pierres assemblant quelques idées, que je croyais plus claires, quelques bonnes intentions qui réveillaient mon cœur, tout était balayé, dans le temps d'un éclair J'avais l'impression qu'en moi, autour de moi, rien ne restait debout. RIEN. Partout des ruines. Pire : LE VIDE, et au bord du vide, mon cœur battant, blessé à mort par un terrible sentiment, le sentiment d'une ABSENCE, d'un MANQUE... Mais manque de quoi ? De qui ?

C'était là, la torture.

Étais-je normal ? Je me le demandais. Fou, peut-être ? Mais est-ce folie que de chercher à vivre ? Est-ce folie que de chercher d'où vient la vie, où elle va ? Est-ce folie... — je m'aperçus brusquement que c'était la première fois que je me posais cette question — est-ce folie de chercher, *à quoi sert sa vie ?*

... et dans un dernier haut le cœur je pensais : ce qui ne sert à rien, *on le jette !*

J'avais une fois pensé le faire. Était-ce sérieux ?

Peut-être.

Je pleurais.

⁂

Je pleurais.

Combien de temps ? Je ne sais.

Pourquoi certains hommes ont-ils honte de pleurer ? A chaque fois — rarement hélas — que mes yeux avaient consenti aux larmes, j'en avais été rafraîchi, et quelque part en moi étaient écloses quelques fleurs nouvelles.

...

J'entendis vaguement, au loin, une voix m'appeler : « A table ! » et je criais, ô ironie : « Je n'ai pas faim ! »

⁂

Le calme peu à peu revenait. Mais dans la brise bienfaisante, se glissaient comme un murmure, les paroles du Sage. Il fallait me l'avouer, ce sont elles qui me tourmentaient et c'était contre elles que je luttais.

Je me battrai encore !...

Non, je ne lâcherai pas ma vie pour je ne sais quel mirage !

Oui, je voulais vivre, et je chercherai la vie. Je la poursuivrai, dussé-je me blesser encore. Je l'empoignerai et comme on écrase le fruit pour qu'il donne son jus, de toutes mes forces je la presserai pour qu'elle me livre son bonheur.

Je me levais, et d'un bond je fus à la fenêtre ; je l'ouvris pour appeler à moi toutes les forces du vent.

Ce fut ma perte.

Dehors, une chanson chantait. Une chanson d'amour. Elle glissait sur le vent et m'atteignit au cœur. Je réalisai soudain que toutes les chansons chantaient l'amour... et que tous les films parlaient d'amour... et que tous les romans racontaient des amours... et que tous les hommes...

... Je les regardais marchant dans la rue, courant dans la rue. Ils rentraient à la maison retrouver leurs amours et ce sont eux qui ce matin les en avaient fait sortir pour aller à la ville gagner leur nourriture. Et si certains ressortaient aussi vite, déchirés et déçus, c'est que leurs amours se mouraient, et qu'ils en cherchaient d'autres qui se donnent ou se vendent.

Ce soir, plus tard encore, lorsque les jeunes, eux aussi, regagneraient leur maison, après avoir flirté avec l'amour croyant l'apprivoiser ; lorsque, une à une, les fenêtres s'éteindraient, je savais que dans ces demeures, enfants, parents, époux, épouses et solitaires, chacun à leur façon, dans leurs rêves ou leurs gestes, leurs mots ou leurs silences, leurs rires ou leurs pleurs, leurs prières ou leurs blasphèmes, leurs étreintes ou leurs coups, tous, toutes, tenteraient de saisir et de manger, quelques bouchées d'amour...

Cet amour qui fait vivre, et sans lequel je commençais timidement à l'admettre, l'homme meurt, parce qu'il meurt de faim.

*
**

Penché à la fenêtre, je regardais encore la rue...

J'aperçus un enfant qui imprudemment traversait la chaussée, et sa mère sur lui se jetait pour le retenir et le protéger.

Je crus entendre murmurer — mais c'était en mon cœur — : « Je donnerai ma vie pour toi ! »

J'aperçus des amants s'embrassant tendrement. Maintenant ils souriaient et parlaient doucement.

Je crus entendre murmurer — mais c'était en mon cœur — : « Je donnerai ma vie pour toi ! »

J'aperçus un homme qui dans son journal lisait : « Le deuxième gréviste de la faim vient de mourir... »

Je crus entendre murmurer — mais c'était en mon cœur — : « Je donne ma vie, pour la justice et pour la paix... »

J'accueillis enfin le silence, mais au cœur du silence, le croirez-vous ? J'entendis distinctement une voix, c'était celle du Sage. Il disait : tu vois, petit, *un amour est plus précieux qu'une vie !*

⁂

Étais-je vaincu ? Je ne le crois pas. Mais en tout cas je me couchais, en paix, étrangement heureux.

Je m'endormis, et je rêvais que je frappais à la porte du Sage.

4

J'étais à la porte du Sage.

Cette fois ce n'était point en rêve.

Je frappais.

Quelques longs jours encore, j'avais hésité, ayant l'impression de céder devant quelqu'un ou quelque chose de plus fort que moi.

Je n'aime pas perdre.

Surtout, j'avais peur. Une peur panique d'être entraîné dans je ne sais quelle aventure, sur des chemins inconnus où je ne voulais pas aller. Pour me donner du courage je me traitais de lâche. Et puis j'étais inquiet. Que me dirait le Sage après une si longue absence ?

...

Il dit doucement : assieds-toi vite mon petit, tu dois être très fatigué !

— Et pourquoi fatigué ?

— Parce que c'est épuisant de lutter contre soi... Beaucoup d'hommes, ainsi, perdent beaucoup de temps et beaucoup de forces. Ils se débattent pendant de longues années, se blessent, se déchirent, abandonnant en route des lambeaux de leur vie, tandis qu'au loin s'envolent leurs bonheurs effrayés.

D'autres hommes — c'est plus grave — ne savent même plus qu'en eux se déroule un combat. Ils ont tout fait pour s'étourdir, se distraire, et le bruit de leurs luttes ne parvient plus à leurs oreilles mortes. Mais la guerre, dans la nuit, est plus cruelle encore. Leur vie saigne en silence. Un jour, ils se réveillent exsangues et titubant, sur le bord de la route.

Rassure-toi mon petit, ceux qui acceptent le combat... et se rendent, ceux-là ne sont pas les plus faibles, mais sûrement les plus forts.

Le Sage me regardait longuement. Je soutenais difficilement son regard et je me dérobais.

Je savais qu'il lisait dans mon cœur entrouvert, mais fier, je voulais qu'il n'apprenne de moi que ce que je lui dirais.

Je résolus de parler et lui contais mes « orages », ceux qui couvent longtemps sans jamais éclater comme certains soirs d'été aux nuits étouffantes, et ceux qui déchirent tout de leurs lames de feux.

***

Je parlais, je parlais... Plus que je n'avais prévu...

Il m'écoutait, immobile, tout entier recueilli, et son merveilleux silence libérait une à une mes paroles enfermées.

Lorsque je me taisais parce que des mots en moi, trop profondément enterrés, ne parvenaient à soulever la pierre de leur tombeau, IL ATTENDAIT plus attentif encore, et quand enfin, aux bords de mes lèvres il les voyait paraître, un de ses lumineux regards rejoignait mon regard pour lancer un pont, de lui jusqu'à moi...

... Et je parlais encore...

Parlant je pensais : pourquoi y a-t-il si peu d'hommes qui savent écouter comme cet homme-là ? Tant de mots pourrissent dans les tombeaux des cœurs, mots et cris faits pour le vent et pour d'autres cœurs qui peut-être en ont faim.

Des hommes mourront qui ne se seront jamais dits. Je le savais, moi qui tant et tant de fois aurais voulu parler, surtout lorsqu'on m'interrogeait en disant : « Que penses-tu ? » et que je répondais... « RIEN ». Car je le reconnais, certains avaient tenté de me « faire parler », mais les mots qu'ils m'avaient « arrachés » avaient gardé en moi de profondes racines. Ils avaient repoussé plus robustes et vivaces, ils encombraient mon cœur ; j'étouffais, et n'y voyais plus rien.

Mais ce jour-là, je compris que je pourrai TOUT dire au Sage. Et déjà j'en souriais.

— Pourquoi souris-tu, dit-il ?

— Parce que je me libère !

— Tu viens, mon petit, de découvrir une profonde vérité. Beaucoup d'hommes aujourd'hui ne se connaissent pas, parce qu'ils croient, orgueilleux, que seuls ils peuvent accoucher d'eux-mêmes. Or, nul ne peut se révéler à ses propres yeux, s'il ne se révèle devant un autre, attentif et aimant.

Va, maintenant, il est tard.

Reviens demain, à mon tour je parlerai.

5

Et le Sage parla.

Je l'écoutais. Libre de mes paroles, j'avais maintenant un peu plus de place en mon cœur pour accueillir les siennes.

— Tu as compris, mon petit, toi-même cette fois, que l'amour est premier au cœur de l'homme et que l'homme est capable de sacrifier sa vie pour que vive un amour. Et toi, lorsque enfermé dans ta chambre intérieure, douloureux, tu subis tes orages, c'est parce que tu es SEUL incapable de parler et cruellement sevré d'amour.

Quand l'autre soir, tu as tant souffert, si un ami — un vrai — était venu, s'il t'avait offert sa main et son sourire, s'il t'avait dit « viens, *j'ai besoin de toi,* pour moi et pour les autres », combien de nuages, dis-moi, se seraient évanouis dans ton ciel retrouvé.

Mais d'amis, il n'en est point venu.

La solitude des hommes « enfermés » est une affreuse maladie, cancer du cœur, qui se répand inexorable en notre monde en peine.

Regarde :

Dans la ville monstrueuse des hommes ont parqué d'autres hommes,
pour qu'ils vivent ensemble comme abeilles dans la ruche.
Mais serrés dans leurs boîtes, empilées vers le ciel,
Ils souffrent comme en prison, et ne font que se croiser sur les
chemins de ronde.

Des familles éclatées ne sont plus corps vivants,
leurs membres arrachés saignent sans que guérissent les plaies;
Et les couples eux-mêmes, qui tant croyaient s'aimer...
Ne sont plus que deux mornes solitudes,
couchées dans le même lit, mais couchées côte à côte.

Tant et tant de navigateurs solitaires, n'ont pu trouver un port où se ravitailler,
et partager l'or pur, puisé au coffre de leur cœur!
Ils voguent à la dérive, ballottés par les vents, lançant au creux des nuits leurs signes de détresse.
Mais qui voit leurs signaux, et qui sort de chez soi?
Il fait trop froid dehors, quand on aime le chaud!

Des hommes « libérés », disent-ils, de tous les vieux tabous,
de leurs doigts, de leurs lèvres, espéraient enfin communier à leurs frères.
Mais les corps glissent sur les corps, quand les hommes avides,
n'ont point trouvé des cœurs, ni les clefs, ni les portes.

Certains hommes se taisent, douloureusement fermés, tandis que d'autres parlent, jetant leurs mots à la face des autres,
Mais dans le même instant, les autres jettent les leurs...
et les mots se cognent entre eux, roulent à terre, et se cassent.

Ils rêvaient de rencontres; mais l'un et l'autre disaient : je voulais bien de lui, pour l'emmener chez moi, mais il voulait de moi pour m'emmener chez lui.
... et l'un et l'autre demeurèrent chez eux, accouplés à leur rêve.

Et pendant ce temps-là :
des enfants pleurent, cherchant quelqu'un, qu'ils puissent appeler « père »
des malades crient, mordus par la souffrance
des vieillards agonisent, filant leurs dernières heures,
On paye pour les calmer, et calmer nos consciences
Mais aucune pommade, fussent-elles les plus douces
Ne peuvent remplacer la fraîcheur d'un baiser.
...

C'est ainsi, mon petit, que des hommes, de plus en plus nombreux, emmurés dans leur mortelle solitude,
Malgré la foule,
Malgré les bruits et les chansons
Malgré les mains tendues et les corps qui s'offrent
Malgré les bonnes idées et les bons sentiments
Malgré les luttes et les victoires pour la justice
Malgré les lois et tous les règlements
Malgré la science et toute la technique

Malgré... TOUT
les hommes jamais ne sortiront de leur prison,
s'ils ne sont pas aimés et ne savent pas aimer.

— « O, mon petit, puisque maintenant tu commences à comprendre, si tu veux, fais un effort pour aimer. Tu sauveras des frères, et te sauveras toi-même »

Je ne répondais rien. J'avais peur de dire « oui »
Doucement il insistait.

— Essaye !

Ouvre ta porte aux autres ! Tu ne les entends pas encore appeler, mais tant et tant attendent que tu viennes leur ouvrir.

Sors de chez toi ! Tu es pauvre des autres, tant que de leur vie tu ne t'es pas enrichi, en les enrichissant.

Essaye, et si enfin tu entrouves ta porte, je te le garantis, par ta porte entrouverte entrera le soleil.

C'est parce que tu la tiens fermée que tu es dans la nuit (1).

Alors, sans bien réfléchir je l'avoue, comme un parachutiste qui se lance dans le vide, à cause du moniteur qui le regarde — oui, ce fut cela, à cause du REGARD du Sage — j'ai dit : « J'essayerai. »

---

(1) I Jean 2,11.

Et le Sage me dit : merci !...
Merci pour toi et merci pour le monde.
...
Je ne compris pas, ce que voulaient dire ces « Merci ».

6

J'étais décidé. Puisque je l'avais dit, j'essaierai.

Et j'ai essayé, une fois, deux fois, plusieurs fois…

Je reconnais que je connus un peu de joie : c'était sûrement le « soleil » annoncé par le Sage. J'étais moins seul, moins tourmenté, et me levais, le cœur presque léger. Je redoutais souvent les réveils. Certains matins, spécialement en semaine à cause du travail, la journée me paraissait d'avance tellement morne et sans attrait, que je ne rêvais que du moment où, à nouveau, je pourrais me coucher et… dormir.

Bref, j'étais plus heureux, mais n'était-ce pas la fierté de triompher de moi ? Et puis, qui ne sait que l'on se fait plaisir en essayant de faire plaisir ! Enfin, que savais-je de l'amour ? L'idée, et… l'expérience que j'en avais, me paraissaient tellement loin de ce dont le Sage parlait !

Mais j'avais promis, et encore une fois, je tins parole.

Je tentais de m'arracher à moi-même, d'oublier un peu mes problèmes, mes désirs, pour aller vers les autres. N'était-ce pas cela que le Sage attendait ?

***

Un camarade avait envie de parler de lui. J'avais envie de parler de moi. Je l'écoutais, pensant au Sage. Étonné, puis heureux, ce camarade me dit qu'il me confiait des soucis qu'il n'avait jamais confiés à un autre...

Mais le lendemain, il revint, pour me parler encore.

A la sortie du travail, on me présenta un tract. D'habitude je jetais ces papiers... Je le pris. Je le lus. On me dit : tu es intéressé, viens à la réunion ce soir. J'y allais...

Mais à la réunion, on annonça une autre réunion.

On me demanda un service. J'acceptais de le rendre...

Mais trois jours après, on me sollicitait encore.

Ça ne pouvait durer. Où irais-je si je tentais de maintenir ce cap ? Vers quelles terres inconnues ?

Et « MOI » que deviendrais-je ? Qui penserait à moi si je pensais aux autres ?

Et puis, je me forçais. Or, était-ce aimer que se forcer à aimer ?

J'abandonnais.

⁂

Malgré les excuses que facilement je me trouvais, j'étais mal à l'aise, humilié. N'avais-je pas battu en retraite ? Ne m'étais-je pas lourdement trompé, entraîné malgré moi par l'étrange ascendant du Sage ?

Il m'avait dit : *si tu veux.* Mais il me l'avait dit en posant son regard sur moi ; ce regard qui apaise, mais aussi qui invite à sortir de chez soi, tant l'air est étouffant dans la maison fermée ; ce regard qui semblait dire « je t'aime » et qui me laissait libre en m'obligeant quand même...

Et puis, à nouveau, les nuages s'amoncelaient dans mon ciel trop bas, tandis que la lumière tant désirée, tant attendue, s'éteignait lentement. Ne connaîtrai-je pas une nuit plus profonde, maintenant que j'avais entrevu le jour ?

Oui, j'étais inquiet et déçu.

J'en voulais au Sage, et je me promettais de le lui dire

7

J'avais préparé mes mots et mes phrases, comme on prépare des munitions pour le combat, mais quand je fus devant mon « adversaire », mes humeurs guerrières s'évanouirent et, timidement, cherchant à l'avance une excuse, et peut-être secrètement un encouragement, je ne sus que murmurer : « C'est dur d'aimer ! »

— *Beaucoup plus dur* que tu ne penses, répliqua le Sage.

J'étais décontenancé. Était-ce ainsi qu'il espérait obtenir de moi quelques efforts ?… Mais je me disculpais encore.

— J'ai loyalement essayé, pour vous faire plaisir…

Il m'arrêta tout net :

— Ce sont les tout petits enfants qui font des efforts « pour faire plaisir »… à leurs parents. Les jeunes et les adultes, s'ils en font, doivent les faire *pour eux-mêmes*. Ce sont eux, qui en premier, sont responsables de leur vie.

— Mais ce n'est pas moi qui ai demandé à vivre ! répliquai-je vivement.

— C'est vrai. Nul ne se donne la vie à lui-même. Il la reçoit… et Vivre, c'est d'abord accepter sa vie.

Beaucoup d'hommes, végètent tristement parce qu'ils n'ont pas dit OUI, à leur vie. Mais s'ils acceptent cette vie, et s'ils en cueillent les fruits, il leur faut aussi accepter de les faire pousser. L'arbre n'est pas responsable de ses fruits, mais l'homme l'est, ou… il n'est pas un homme.

— C'est pour cela que lorsque j'eus décidé de faire effort, vous m'avez dit : « Merci... pour toi » ?

— Oui.

— Mais vous avez ajouté :... « et pour les autres ».

— Parce que les autres ont faim, et que tu leur dois tes fruits.

Quand tu cueilles les leurs, sans leur offrir les tiens, tu es un parasite.

Si l'humanité souffre atrocement en des millions et des millions de ses membres, c'est parce que beaucoup d'hommes se nourrissent de la vie des autres, sans les nourrir de la leur.

Je pourrais, pour te le montrer, t'exposer de grandes théories. Certains en ont élaboré de très bonnes. Je pourrais faire appel à des spécialistes : psychologues, sociologues, économistes, politiciens. Ils t'enseigneraient avec des mots savants...

Je ne le ferai pas.

J'ai moi-même étudié longuement, avidement, pour éclairer mon esprit inquiet. J'ai lu beaucoup de livres. Mais il m'en manquait un : le livre de la vie.

Alors j'ai regardé autour de moi, j'ai écouté, et j'ai compris ce que je n'avais pas compris. J'ai surtout compris beaucoup plus profondément, car les idées sans vie, sont squelettes sans chair.

J'ai découvert enfin qu'on pouvait parler de problèmes très graves, avec des mots très simples... trop simples peut-être pour les esprits forts, mais lumineux pour ceux qui les lisent avec les yeux du cœur.

J'étais étonné et heureux, car pour la première fois, le Sage parlait un peu de lui. Une petite lumière s'allumait pour moi, en son profond mystère.

Dans la pièce où il m'accueillait, dès les premières rencontres, j'avais observé les étagères couvertes de livres. Les murs en étaient tapissés. J'étais fasciné et attiré. Avait-il lu tous ces ouvrages ? Je n'osais pas le lui demander, mais je ne doutais pas un instant qu'il ne fut un savant. Je m'étonnais cependant qu'il ne parla pas comme un savant. Je comprenais tout ce qu'il disait. Mais aujourd'hui, je découvrais que lui aussi avait cherché — longuement avait-il dit — et de le savoir me réconforta et m'encouragea.

Il poursuivit :

... Vois-tu petit, c'est avec mon esprit, mais aussi mon cœur et toute ma vie que maintenant, je sais ce que je sais...

...

Je sais,

que si des hommes par milliers meurent de faim, tandis que d'autres au même instant meurent de trop manger,
c'est que nous n'avons pas su partager le blé, et pétrir le pain pour nos frères humains

Je sais,

que si tant et tant de jeunes éclatent de violence, voulant prendre de force ce dont ils ont été privé,
c'est qu'ils sont nés par erreur, au hasard d'une étreinte,
ou voulus comme poupée par des parents-enfants, après l'automobile et le petit chien

Je sais,

que si des hommes ne voient que signes noirs et muets, sur les pages du livre,
c'est que certains gardent le savoir pour eux, comme un don réservé

Je sais,

que si la terre est propriété et profit pour quelques-uns, alors qu'elle n'est que chantier de travail et de peine pour la multitude,
c'est que les hommes ont oublié que la terre est à tous, et non pas au plus fort

Je sais,

que si certains hommes il est vrai, sont plus riches d'intelligence, de santé, de courage, que d'autres
leurs richesses sont une dette envers les démunis,
mais je sais aussi que trop souvent cette dette s'accroît, sans être remboursée

Je sais,

que si des millions d'hommes vivent sans qu'ils puissent, libres et responsables, prendre leur place dans la construction du monde,
c'est que quelques-uns se croient nés pour être maîtres, et qu'il leur faut des esclaves pour pouvoir le rester

Je sais,

que si des milliers de prisonniers agonisent dans des camps, ou hurlent sous la torture,
c'est que des hommes se font propriétaires de vérités, et qu'ils tuent lentement les corps pour que meure la pensée

Je sais aussi, et j'admire,

que des hommes partout se dressent courageux,
et debout, jettent leur corps saignant dans les luttes pour la justice et pour la paix,
mais je sais aussi que d'un corps qui combat, sans un cœur qui bat, ne peut naître une victoire,
car les luttes sans amour, sont des luttes en vain
le sang qu'elles font couler, appelle un autre sang

Je sais...

Je sais... beaucoup d'autres choses.

Tu le sais aussi mon petit, mais peut-être n'oses-tu pas entendre, n'oses-tu pas regarder... ?

Sois courageux,

Regarde cette tragique humanité qui se traîne sanglante sur le long chemin de croix de l'histoire.

Regarde ses membres écartelés, crucifiés aux quatre coins de l'espace et du temps.

Écoute ses clameurs qui montent de la terre, s'unissent et se rassemblent en un grand cri de nuit : J'AI SOIF !

L'humanité souffre et meurt, je te le répète,
torturée, crucifiée, par la faute des hommes
par notre faute à tous.

***

Je savais. Mais je ne voulais pas savoir.

8

Oui, je savais.

J'avais regardé, j'avais écouté.

Qui peut échapper aux voix et aux images qui, presque chaque jour maintenant, au moment de manger, au moment de dormir, méchamment vous agressent, comme gifle en plein visage ? Qui peut éviter cette invasion de l'humanité souffrante, entre les quatre murs étroits de nos salles de séjour ? Qui peut empêcher qu'au creux de certains silences, un mystérieux écho répercute à l'infini les cris des opprimés ?

Mais, était-ce de ma faute, à moi, si j'avais eu un père, une mère ? Si j'avais un toit sur ma tête et du pain dans mon assiette ?

Était-ce de ma faute si j'avais appris à lire et si j'avais un travail qui me faisait vivre... ?

Je me débattais. La souffrance du monde m'atteignait comme un cuisant reproche, et je ne pouvais le supporter.

Oui, j'avais écouté, j'avais regardé, mais je ne voulais plus entendre et ne plus voir.

Je fermais à clef toutes mes portes.

***

Certains jours, cependant, les images étaient plus dramatiques, les cris plus déchirants et mes serrures sautaient les unes après les autres.

Je n'y pouvais rien.

C'était l'invasion. Dangereuse. Car en moi sommeillait une sourde révolte, terrible dynamite profondément enfouie tout au fond de mon être. Mon cœur explosait et faisait exploser ma tête. Alors mes pensées jaillissaient, se bousculaient, s'entrechoquaient. Je reconnaissais que toutes ces souffrances étaient atroces, injustes, monstrueuses.

Il fallait des coupables. J'en trouvais : la société, la politique, la religion... Dieu, et tous ces gens qui nous enseignent, qui nous informent, qui nous gouvernent... ces profiteurs, ces incapables, ces imbéciles... tous ceux qui peuvent et ne font rien !

Je me révoltais. Et plus je me révoltais, plus j'étais fier de moi, me prouvant à moi-même que je n'étais pas insensible et fermé.

Je concevais même des solutions. Elles étaient radicales : il suffisait de..., et tant qu'on n'aurait pas... Quelquefois, suprême courage, je les exposais véhémentement, au travail, parmi mes camarades, chez moi. Et je parlais avec tant d'assurance, faisant taire les autres, que parfois je crois, les autres m'admiraient.

Alors, quand j'avais bien pensé, bien parlé, bien crié, et aussi bien rêvé — car il m'arrivait de me voir partant glorieux pour de grandes croisades — je m'endormais plus calme, car j'avais pour un moment endormi ma conscience.

*
**

Mais elle se réveillait. Me tourmentait confusément. Et de loin en loin, dans un moment de grand silence — c'est pour cela que je craignais le silence — comme quelqu'un d'autre en moi qui pensait, qui parlait, je m'entendais dire : *et toi, que FAIS-tu ?* Alors vite, très vite, pour ne pas laisser la voix dangereusement grandir, je murmurais agacé : *qu'y puis-je,* moi si petit en cette masse humaine ?... et quand bien même, je ferais quelques gestes, à quoi serviraient-ils, quand les autres ne font rien ?...

...

et je ne faisais RIEN.

***

Aujourd'hui, le Sage avait parlé, et malgré moi, je l'avais écouté. Je devais le revoir, lui poser mes questions. Mais une fois encore j'hésitais. Décidément, je craignais son regard, autant que ses paroles...

Brusquement, je trouvais un moyen pour lui échapper.

J'écrirai.

...

Je le fis.

Mais je n'avais pas prévu un obstacle de taille : comment commencer ma lettre ?

J'essayais tous les termes les uns après les autres. Aucun ne me satisfaisait. Je finis par écrire... « bonjour ! »

Il fallait conclure. Nouveau problème. Je le contournais et écrivis, imprudemment peut-être... « à bientôt ! »

⁂

Il était très tard. Je sortis, glissais mon enveloppe sous la porte du Sage, et m'enfuis très vite.
J'avais peur qu'il n'ouvre sa porte.

9

Je tenais en mes mains la réponse du Sage.

Le lendemain même elle m'était parvenue et je compris qu'il l'avait écrite très tard le soir ou très tôt le matin.

J'étais fier d'avoir une lettre de « lui ». Ainsi, je comptais à ses yeux. Peut-être même m'aimait-il un peu ?... Cette idée me réchauffait étrangement le cœur, mais très vite, le doute atténuait mon euphorie. S'il aimait, c'était par devoir ! Il « devait » aimer, puisqu'il le demandait aux autres...

Malgré tout, c'est presque en tremblant que j'ouvris son enveloppe.

Je lus :

Si la note disait : ce n'est pas une note qui fait une musique
... il n'y aurait pas de symphonie
Si le mot disait : ce n'est pas un mot qui peut faire une page
... il n'y aurait pas de livre
Si la pierre disait : ce n'est pas une pierre qui peut monter un mur
... il n'y aurait pas de maison
Si la goutte d'eau disait : ce n'est pas une goutte d'eau qui peut faire une rivière
... il n'y aurait pas d'océan
Si le grain de blé disait : ce n'est pas un grain de blé qui peut ensemencer un champ
... il n'y aurait pas de moisson
Si l'homme disait : ce n'est pas un geste d'amour qui peut sauver l'humanité

... il n'y aurait jamais de justice et de paix, de dignité et de bonheur sur la terre des hommes

*
**

— Qu'y puis-je, dis-tu ?

— Moi je te dis : « *Aime, en acte et en vérité* » (1), car seul l'amour peut vaincre la souffrance, et le poids d'amour que tu mets au monde, même si tu n'en vois pas le fruit, redonne un sang nouveau au corps exsangue de l'humanité.

— Mais les autres, dis-tu encore ?

— Moi je te dis : eux aussi doivent aimer.

— Et s'ils se dérobent, penses-tu ?

— Aime plus encore, et d'autres autour de toi aimeront. Ils attendent comme toi qu'un frère à côté d'eux, pose la première pierre. Ils poseront la leur si tu poses la tienne, car *qui aime, fait aimer*.

*
**

Comme la symphonie a besoin de chaque note
Comme le livre a besoin de chaque mot
Comme la maison a besoin de chaque pierre
Comme l'océan a besoin de chaque goutte d'eau
Comme la moisson a besoin de chaque grain de blé
l'humanité tout entière a besoin de *toi,*
là où tu es,
unique
et donc irremplaçable.

Qu'attends-tu pour t'engager ?

(1) Ire Épître de Jean 3-17,18.

10

J'avais lu, relu, deux fois, trois fois… plus encore, le message de mon Ami.

Le Sage avait raison. Je le comprenais, je le « sentais ». Cependant, une fois encore, je mesurais la lourdeur de mon être. J'aurais voulu marcher, courir, voler, et je restais à terre. Immobile. De plus en plus honteux.

Il y avait des hommes à sauver, un monde à construire. Je devais m'engager. Mais je ne pouvais me résoudre à n'être qu'une goutte d'eau dans l'océan, une pierre dans le mur, un grain de blé dans la moisson…

Je voulais être plus et faire plus. Mais voulant faire plus, je continuais de ne rien faire…

Et je pensais : les jours passent, et je ne puis les rattraper. Ils sont dépensés à mon profit et non pour le service des autres.

J'avais renoncé à chasser de mes yeux les images de la misère, à fermer mes oreilles aux cris des hommes souffrants. Vérouiller mes portes était devenu inutile ; images et cris étaient entrés chez moi et n'en sortiraient plus.

Je livrais un combat d'arrière-garde que je savais perdu.

En fait, j'avais une excuse : je ne savais *quoi faire*. Si quelqu'un était venu me proposer une action concrète, œuvre petite, mais qui se voit, même vaguement humilié de me résoudre à si minime chose, même pensant : « A quoi ça servira ? », j'aurais accepté d'être embauché, tant j'étais mal à l'aise dans ma situation de démobilisé.

*
**

A nouveau, j'étais chez le Sage. Ne lui avais-je pas promis de le revoir... « bientôt » ?

Il me regardait, silencieux. Dans son regard, aucune sévérité, aucune condamnation, mais au contraire, une infinie bienveillance qui me mettait à l'aise. Devant lui, je ne me sentais pas jugé, mais invité.

Il attendait que je parle.

Je n'aimais pas engager la conversation. Je cherchais toujours mes premiers mots. Ils étaient hésitants, malhabiles, et quand enfin ils paraissaient timides et gauches dans l'espace oppressant du silence, j'avais honte de leur banalité et j'aurais aimé les faire rentrer à la maison.

Je balbutiais : .. je vous remercie de votre message...

— J'aurais préféré, mon petit, t'entendre et te parler de vive voix, dit-il doucement, presque « tendrement » pour me montrer, j'en étais sûr, qu'il n'était pas fâché.

Je cherchais une excuse. Je ne pouvais pas dire au Sage que... j'avais peur de lui. Non pas tellement de sa personne qui pourtant m'impressionnait tout en m'attirant, mais surtout de cette lumière qu'il allumait en moi. Elle me forçait à VOIR au-delà de mes brumes, tandis qu'une force nouvelle, inquiétante, jaillissait au creux de mon être, me poussant impitoyablement, hors de mon chez moi tranquille.

Sans grande conviction j'affirmais : « Je ne voulais pas vous déranger, vous êtes tellement occupé ! »

Le Sage sourit imperceptiblement et son sourire me gêna. Je compris qu'il n'était pas dupe. Je me sentis rougir et pris mon visage entre mes mains, pour tenter de cacher mon émotion.

Mon Ami m'offrit le cadeau d'un petit morceau de temps, le temps qu'il fallait pour me reprendre, puis je l'entendis me dire fermement :

— Peut-être m'arrivera-t-il certains jours de ne pouvoir parler longuement avec toi. Alors je te le dirai. Mais jamais, tu m'entends mon petit, jamais tu ne me dérangeras. Et le temps que je te donnerai sera un temps *pour toi*. Un peu de ma vie *pour toi*.

Je le crus. Et le croyant, je sentis que je venais de franchir une étape importante.

Alors, apaisé et heureux, je décidais de lui poser mes questions.

***

— Ami, lui dis-je d'abord, comment saurai-je celui que je dois « être » ?

— En grandissant, mon petit…

Ainsi l'arbre poussant — s'il était conscient — ne découvrirait que peu à peu celui qu'il devient et doit devenir ; platane, chêne ou peuplier. Et si le platane voulait être chêne, et si le chêne voulait être peuplier, ils n'y parviendraient pas et seraient mal-heureux, car « mal dans leur écorce ».

Sois toi-même. Enrichis-toi des autres, mais ne les copie pas. C'est de « toi » que les autres ont besoin. Ne joue pas ta vie. Même si ton « personnage » est réussi, c'est de ta vie et non de ta « comédie » que le monde a besoin.

— Et comment saurai-je ce que je dois « faire » ?

— En grandissant,
là où tu es,
au moment où tu vis,
avec les personnages qui t'entourent…
... Comme l'arbre.

Le Sage se recueillit un instant, puis il poursuivit comme il en avait l'habitude, en déclamant lentement une sorte de poème.

J'aimais la musique de ses mots qui, un à un, s'échappaient de ses lèvres, comme colombes emportées par la brise légère, ou secouées brutalement au vent de sa passion. J'écoutais.

Arbre,
Arbre solide et beau,
Plonge tes racines en terre,
sans racines et sans terre, tu ne pourrais point vivre,
Plonge tes branches en ciel
sans branches et sans ciel, tu ne pourrais survivre,
et que tes racines de terre
et tes racines de ciel
mangent et boivent
l'humus et l'eau
l'air et le soleil

***

Arbre, mon ami, grandis pour toi, grandis pour moi, grandis pour tous les hommes,
Car nous avons besoin de toi,
pour respirer et nous chauffer,
nous abriter et nous meubler,
pour nous aimer et pour dormir
pour vivre et pour mourir

⁂

Arbre, tu n'es pas seul au monde, mais multitude en la forêt profonde
Avec tes frères, écoute les bruits de la ville, légers de rire et lourds de pleurs.
De tes branches tendues, comme bras qui s'offrent, disponibles,
Accueille les hommes qui accourent, ils te féconderont, tu leur donneras vie,
Mais sois toi-même, et refuse les rapaces qui sans te respecter,
cherchent à t'exploiter pour leurs plaisirs et leurs profits
Si ton cœur grand ouvert, est fait, pour d'un toit, couvrir une maison
refuse le feu qui de ta chair, veut tirer la chaleur,
Si tu dois sous tes ombrages abriter le jeu des enfants, en la forêt profonde,
refuse d'être bureau pour l'étudiant et chaise pour le vieillard
Si tu dois un jour être autel pour le prêtre,
refuse d'être table pour la famille et lit pour les amants

⁂

Arbre, mon frère,
plonge tes racines en terre
et tes racines en ciel
Sois l'arbre que tu dois être,
mais arbre pour les autres

— Ami, dis-je, quand il se tut, j'ai peur de ne pas tout comprendre en votre poème. Pouvez-vous me l'expliquer ?

— Non, mon petit. Vis. Grandis. Et puis, interroge ton cœur, c'est lui qui t'enseignera. Et comme s'il se parlait à lui-même il ajouta, presque tout bas : « Peut-être ai-je trop semé ? Qui sème très serré empêche la graine de pousser. » Puis à nouveau s'adressant à moi, il dit encore :

— Reviens. Nous avons tant et tant de mots à déposer en terre qu'il nous faut beaucoup de sillons préparés. Mais n'oublie pas de travailler ta terre. Rien ne sert de semer si tu n'es labouré.

...

J'étais sur le pas de la porte. Il me rappela.

— Souviens-toi, dit-il : « tes racines de terre,
tes racines de ciel »

Il se tut à nouveau, sembla hésiter, puis ajouta plus bas : « ... Mais, connais-tu ton ciel ? »

*
**

Il avait refermé la porte.

J'étais seul avec sa dernière question entre mes mains.

11

C'était vrai.

Peu à peu je comprenais les paroles du Sage. En mon cœur elles germaient comme des graines en terre, et sans que je puisse déceler leur lente gestation, chaque jour maintenant, j'en découvrais les fruits.

Je vivais. Et à certains moments — c'était nouveau — j'étais heureux de vivre.

Je réalisais de plus en plus que mes longues et mornes réflexions, comme mes rêves fous, mangeaient mon temps de vie, sans nourrir ma vie.

Souvent, je constatais que j'avais été « là », tout en étant absent, mes yeux clos cherchant dans la nuit de mon cœur, et celui que j'étais, et la trace d'une route. En vain.

Quand enfin, j'ouvrais à nouveau mes paupières, ce n'était pas pour accueillir la lumière crue du réel, mais pour fixer, dans le vague, je ne sais quel mystérieux écran, où défilaient inlassablement, en noir ou en couleur, les images de mes rêveries.

Oui, il fallait *vivre,* et pour vivre, me libérer, et *rejoindre ma terre.*

Je la découvrais et découvrais mes racines. N'étais-je pas fou de les avoir ignorées ou de les refuser ! Comment pouvais-je vivre, puisque sans elles, je ne pouvais pas vivre !

J'étais chêne ou platane. Je serai chêne ou platane. J'étais planté « là », c'est « là » que je pousserai et porterai mon fruit.

Ma terre nourricière, c'était le RÉEL de ma vie : ma famille, mon milieu, mon travail, mon quartier, mes loisirs... C'était aussi les personnes qui m'entouraient, celles que j'aimais et celles que je n'aimais pas. C'était aussi le moment où je vivais, les événements petits et grands qui m'enveloppaient, m'atteignaient, me sollicitaient.

Je résolus d'être présent. Mais comme il était difficile d'être « là », racines en terre et branches en ciel !

... en ciel ?

C'est vrai, le Sage avait encore raison. Quel était donc mon ciel ?

Je trouverai.

Je trouverai... en « grandissant ».

Je comprenais aussi que je n'étais pas seul, mais multitude. Comme arbre en forêt. Jusqu'à présent ma tête le savait. Mes yeux, mes oreilles et mes mains, l'ignoraient. Celui qui se regarde ne peut regarder l'autre, et celui qui s'écoute ne peut écouter l'autre.

Cette fois, je commençais à les rencontrer ces « autres », à « toucher » leur vie, à me laisser « toucher ».

Cependant, m'approchant des autres, de plus en plus j'entendais leurs appels. Et je pensais encore qu'il m'avait également fallu beaucoup de temps pour comprendre que c'était tout près de moi, autour de moi, que s'offraient chaque jour les occasions de ces « engagements ». Ceux-ci m'appa raissaient toujours plus nécessaires, mais également toujours plus difficiles et surtout, toujours aussi inefficaces. Mais je n'admettais plus de penser et de rêver au champ immense à moissonner, en oubliant dans ma main le grain à semer. Je ne voulais plus discuter âprement sur la construction du « grand ensemble », en gardant ma brique, inutile, déposée à mes pieds.

Tout cela, le Sage me l'avait fait comprendre en me le disant. Aujourd'hui, c'est moi qui me le disais et me le redisais.

*
**

Il restait à le faire.

J'essayais encore de « sortir de moi » pour aller vers les autres. Cependant, j'acceptais cette fois d'admettre que ma vie ne changeât pas au rythme de mes découvertes et de mes compréhensions, et j'entrevoyais déjà combien cet humiliant décalage entre compréhension et réalisation, pouvait être invitation au combat, ou source de découragement.

Je choisis le combat, car je savais que c'était là un véritable combat d'homme.

Plutôt que de chercher et d'aller lutter « ailleurs », fidèle à mon réel je commencerai « là ». Plutôt que me vouloir chef de chantier dans une grande entreprise, j'accepterai d'abord d'être manœuvre chez l'artisan.

Ainsi je savais maintenant ce que je devais faire aujourd'hui et j'en étais certain, si j'étais fidèle, je découvrirais « en grandissant », ce que je devrais faire demain.

*
**

Je décidais pourtant d'attendre plusieurs semaines avant de revoir le Sage. Je tenais à me présenter devant lui, mes terres labourées.

12

Tout n'était pas clair. Il restait dans mon cœur et dans ma vie, de vastes espaces d'ombre. Je les craignais. Si j'allais à nouveau me perdre dans la nuit !

Mais je redoutais toujours la lumière. Victorieuse de cette nuit, elle m'obligerait à poursuivre ma route.

Je marchais, j'étais heureux de marcher, mais craignais déjà de ne plus pouvoir m'asseoir.

Certaines paroles du Sage, surtout m'intriguaient. Elles m'intriguaient d'autant plus, que je le pressentais, elles cachaient quelque chose d'essentiel comme l'arbre cache sa sève. Cette sève qui est la vie et ne se révèle que lorsqu'elle pleure de la branche cassée.

L'amour était la raison « d'être » et la « sève » de l'homme. C'était pour le Sage une évidence, puisqu'il avait murmuré presque tout bas : « L'homme est fait par amour et pour l'amour. »

J'étais très loin de partager cette assurance !

***

D'abord, « Fait par amour », l'avais-je été moi-même ?

Jeune, ma mère — très peu mon père — obéissant scrupuleusement à « tout ce qu'on entendait dire » — m'avait expliqué clairement les « mystères de la vie ». Elle l'avait fait si clairement et si « naturellement » — cela aussi « on disait » qu'il le fallait — que je ne trouvais rien de mystérieux à ces mystères-là.

Mais j'avais compris et retenu que des parents pouvaient avoir un enfant sans l'avoir désiré... Et je savais pourquoi : un oubli, une erreur, une faiblesse... Alors, lorsque j'étais seul, recroquevillé dans le coin d'une pièce, paralysé par l'ennui, ou blotti au creux de mon lit, attendant un bonsoir qui n'en finissait pas de venir, je me posais cette lancinante question : avais-je été un enfant désiré, ou n'étais-je qu'un enfant accueilli et reconnu après coup ? Et si j'étais vraiment le fruit d'amour de mes parents, pourquoi ceux-ci n'avaient-ils pas eu assez, de cet amour qui donne vie, pour m'offrir le frère, que je désirais tellement, égoïstement, pour jouer avec moi, c'était évident, mais aussi pour aimer ?

Plus tard, adolescent, j'appris comme tout le monde, que l'homme avait enfin conquis « le droit » de détruire la vie dont il ne voulait pas. Cette fois, il aurait seulement les enfants qu'il désirait, puisqu'il pouvait supprimer... les erreurs !

J'avais du mal à admettre que ce fût là une grande victoire. Mon père la célébrait. Ma mère ne disait rien. Moi, à nouveau je pensais : S'ils avaient eu « le droit », de mon temps... ? Et sans frais... ? Serais-je là ?

Mais je ne disais rien. Je n'osais pas.

Les grandes personnes ne se doutent pas de ce qui se passe dans la tête et dans le cœur de leurs enfants !

⁂

Aujourd'hui, le problème était pour moi beaucoup plus vaste. Y réfléchir, rallumait en moi le volcan de mes révoltes.

Car comment pouvait-on dire que les dizaines de millions d'enfants des pays sous-développés, avaient été faits « par amour », eux qui étaient condamnés à mourir avant l'âge ! Monstrueux avortement collectif, qu'à mon avis on ne dénonçait pas avec assez de véhémence.

Et comment pouvait-on dire que les hommes « étaient faits pour l'amour », alors que ceux-ci passaient leur temps à vivre pour eux-mêmes, s'exploitant et s'entre-tuant les uns les autres !

Non, je ne pouvais admettre ces paroles du Sage !

... Et pourtant ! Celui-ci me l'avait fait comprendre, et je le constatais, l'amour était essentiel à l'homme.

L'amour, c'était, au plus profond de mon être, cette extraordinaire énergie qui le faisait marcher, courir, lutter, vivre. C'était ce souffle mystérieux qui, l'arrachant à la lourdeur de ses désirs le rendait capable de sacrifier sa vie. C'était enfin, je l'expérimentais douloureusement, cette mystérieuse faim et cette soif, en lui, tenace, mais jamais pleinement apaisée et toujours renaissante.

Alors ?

Alors, je n'y comprenais *rien.*

N'étions-nous pas les comédiens forcés d'une absurde et immense tragédie ? Faits pour aimer, mais incapables d'aimer ? Condamnés à toujours désirer et tenter de vouloir, ce que jamais nous ne pourrions atteindre ?

Et l'humanité ?

Pauvre humanité victime de cette horrible farce ! Jusques à quand souffrirait-elle ?

A moins que quelque fou, ou quelque courageux, n'achevât plus tôt ses souffrances — l'homme n'en avait-il pas le pouvoir ! — en la désagrégeant en même temps que sa terre nourricière, elle-même, épuisée.

C'était monstrueux !

Aimer, n'était-ce pas, en fait, qu'un beau rêve d'enfant, pour enfants bien-pensants ?

⁂

Tout cela, j'étais venu le dire au Sage, attendant qu'il m'éclaire et apaise la tempête qui montait en moi, au fur et à mesure que je parlais.

J'avais peur que ma barque si fragile, enfin lancée sur les eaux, aujourd'hui déchaînées, ne regrette le port, et cherche à le rejoindre.

Le Sage ne calma pas ma tempête. Au contraire, il me rejoignit dans la bourrasque et parut l'épouser.

Tandis que je parlais d'amour, exposant mes révoltes et mes doutes, brusquement il m'interrompit. Son visage d'habitude si pâle, s'empourpra. Ses yeux s'allumèrent d'une lumière que je ne leur connaissais pas. Je crois que c'était la colère en lui qui prenait feu. Sa voix devint forte, et dure. Il s'exclama :

— Tu as raison mon petit. Trop d'hommes aujourd'hui bafouent l'amour. Beaucoup même n'y croient plus.

Ils mettent le monde en danger plus sûrement qu'en engrangeant les bombes de la terreur, car il leur restait l'amour… mais aujourd'hui que reste-t-il de l'amour ?

Il y avait « le soupçon » des philosophes, implacable dévastateur, taraudant les cerveaux orgueilleux, et détruisant lentement, les fois les plus tenaces,

Mais il restait l'Amour au cœur des hommes à la tête éclatée.

Il y avait la faim dans le monde, l'analphabétisme, le sous-développement,
Mais il restait l'Amour invaincu, armant sans cesse le bras de l'homme pour les combats de vie.

Il y avait le manque de liberté, les inégalités, les injustices,
Mais il restait l'Amour enfoui, au creux des corps enchaînés, amour inaccessible aux doigts sanglants des tyrans et des bourreaux.

Il y avait les luttes, les guerres et les morts,
Mais il restait l'Amour, amour en sang, amour en pleurs, mais amour sur-vivant.

Il y avait le monde fou...
Mais il restait l'Amour inviolé, mystérieux,
Souffle accueilli,
Souffle échangé,
aux lèvres qui s'unissent,
et les nids des corps enlacés, tissaient des nids d'enfants.

Mais voici que l'Amour est atteint, au cœur même de son cœur

L'amour « libéré », éclate aux quatre coins de l'homme
et son corps fait l'amour, quand son cœur est ailleurs
et son cœur quête l'amour, quand il n'étreint qu'un corps.
L'amour est enseigné, comme une gymnastique
L'amour est arraché du lit clos des amants, et sur la place, affichée entre le dernier spectacle et les nourritures pour chiens
L'amour est projeté sur grand écran, gros plan sur le sexe, émotion permanente pour obsédés en manque
L'amour est au bazar, en cassettes, en images ; lumières rouges et poupées de vent, pour foyers éteints et chairs mortes
L'amour est mis en vente sur le trottoir, au menu à la carte : chéri t'as plus d'argent, t'as plus d'amour
L'amour est défiguré, étranglé, fossilisé, *chosifié*...
et cette « chose » en miettes traîne partout, dans la boue des chemins

..

Il restait l'Amour...

mais l'amour aujourd'hui, est un feu qui s'éteint,
tandis que les hommes nus,
lèvres frémissantes,
yeux enfiévrés,
meurent de froid en serrant entre leurs doigts avides, les morceaux de « la chose », qu'en mourant,
ils s'entêtent encore à dénommer « amour ».

Pauvres hommes que nous sommes, dit encore le Sage, nous ne savons pas qu'*en tuant l'Amour, nous sommes en train de tuer la vie.*

***

« Il » ne me regardait plus. Heureusement. Je ne pouvais plus supporter son regard. Il avait baissé la tête et je ne voyais que ses beaux cheveux blancs dans lesquels traînaient quelques reflets de lumière, lueurs attardées du jour agonisant.

Quant à nouveau, à mes yeux, son visage se montra, je fus saisi. Il avait retrouvé ce calme et cette paix qui m'étaient maintenant familiers.

Il murmura simplement : « C'est triste, infiniment triste... mais je le sais, *je le crois,* de toutes mes forces, *c'est l'Amour qui vaincra !* »

... Et moi, une fois de plus, bouleversé, encombré de ma pauvre tête où d'épaisses nappes de brouillard recouvraient la lumière naissante, malade de ce cœur partagé qui tant désirait croire, je me disais : oui, il y a un mystère. Il ne se peut pas qu'il n'y en ait pas.

Il y a un mystère d'Amour qui est mystère de vie... et ce mystère *le Sage le connaît.*

Mais pourquoi ? Pourquoi, ne me le révèle-t-il pas ?

13

Je décidais de partir à la découverte du mystère.

En fait, que connaissais-je de l'amour ?

L'amour était, certes, tout ce que m'en avait dit le Sage. Je le concevais mieux depuis que peu à peu mon Ami m'entrouvrait les yeux. Mais pour moi, l'amour demeurait surtout le rêve des époux, rêve réalisé ou cruellement déçu ; la tendresse des mères et la force des pères, pour des enfants chéris ; l'amitié recherchée, mais si souvent insaisissable et décevante ; et plus encore, depuis longtemps déjà, et chaque jour davantage, ce désir de « la fille » qui passait sur ma route déserte, celle que j'agressais ou caressais du regard en quêtant un regard ; celle que j'effleurais de mes lèvres subitement timides ; celle que je touchais, palpais, de mes doigts brusquement libérés ; celle parfois que je tentais de capturer en mes bras déchaînés.

Mais l'amour, pour moi, était plus encore. Au-delà des époux, des parents, des amis, « des filles »... au-delà de la joie des cœurs, et du frisson des corps c'était... c'était... ?

Je ne savais pas...

...C'était mon île inconnue, mon port dans la nuit,
ma faim, ma soif,
mes recherches, mes luttes,
mes blessures, mes souffrances,
mes remords...

C'étaient mon désir, mon tourment,
qui venaient je ne savais d'où, pour aller je ne savais où... ?
Que connaissais-je de l'amour ?

*
**

Et le Sage me dit :

... L'Amour dépasse l'amour mon petit :

L'amour est vol d'oiseau, dans le ciel infini,
Mais le vol de l'oiseau
est plus que petit être de chair, virevoltant dans les airs,
plus que ses ailes amoureuses, courtisées par le vent
et plus que l'indicible joie, quand meurent les battements d'ailes,
et que le corps en paix, plane dans la lumière.

L'amour est chant du violon, qui chante le chant du monde,
Mais le chant du violon
est plus que le bois et l'archet, inertes et solitaires,
plus que les notes en habits de soirées, qui dansent sur la partition
et plus que les doigts de l'artiste, qui courent sur les cordes.

L'amour est lumière, sur les routes humaines,
Mais la lumière qui se donne
est plus que caresses matinales, ouvrant les yeux de nuit,
plus que rayons de feu qui réchauffent les corps,
et plus que mille pinceaux de soie, colorant les visages.

L'amour est rivière d'argent, qui coule vers la mer,
Mais la rivière vivante, qui traîne ou se hâte,
est plus que son lit accueillant, écrin qui ne retient,
plus que l'eau rougissante, sous le regard du couchant,
et plus que l'homme sur la rive, jetant ses appas pour en pêcher les fruits.

L'amour est voilier, qui sur l'eau, fend les vagues,
Mais la course du voilier
est plus que l'étrave séduite, pénétrant la mer, qui s'offre ou se débat
plus que les voiles frémissantes sous les caresses de la brise ou les gifles du vent
et plus que les mains du marin, accrochées à la barre, poursuivant inlassable son amante sauvage.

... *L'Amour dépasse l'amour*

L'amour est SOUFFLE infini, qui vient d'ailleurs et vole vers l'ailleurs

L'amour est esprit d'homme qui connaît et reconnaît le SOUFFLE
il est liberté d'homme qui tout entier se tourne vers Lui
L'amour est consentement de l'homme au SOUFFLE qui invite
il est cœur de l'homme qui s'ouvre pour L'accueillir et Le donner
il est corps de l'homme qui se recueille, disponible
pour qu'habité par Lui, traversé par Lui
il s'envole vers les autres
vers... l'autre,
et qu'enfin,
ce qui était éloigné se rejoigne et s'ajuste
ce qui était séparé ne devienne plus qu'un
et que de l'UN jaillisse, une nouvelle vie.

....

O Ami, dis-je, révélez-moi quel est ce SOUFFLE puissant et mystérieux,
et j'ouvrirai mon cœur,
et j'offrirai mon corps,
au SOUFFLE que j'attends, pour que vive ma JOIE
et que vive la VIE

⁂

Le Sage se recueillit. Il ferma les yeux.

Il était silencieux.

Ce silence ne me gênait plus, au contraire. Je savais maintenant qu'il était l'aube d'un soleil levant.

Ce jour-là, cependant, il dura plus longtemps.

J'observais mon Ami et je m'étonnais que même les yeux clos, son visage fût autant expressif. Il était grave, immobile, presque figé. Tout à coup ses lèvres se mirent à remuer, imperceptiblement. Parlait-il tout bas ?

Alors, un à un ses traits se détendirent. Un frémissement de vie passait sur son visage comme une brise légère fait vivre un champ de blé. C'était plus profond encore, car maintenant son visage changeait. Il devenait clair, translucide, comme si une mystérieuse lumière s'était allumée, à l'intérieur.

Enfin il ouvrit les yeux, me regarda longuement et dit :

— Prie, mon petit, prie.

Puis il se leva et m'accompagna jusqu'à la porte.

Je sortis en silence, sans même avoir songé à lui dire au revoir.

14

Prier ? moi, prier ?

La demande du Sage m'avait laissé sans voix, et pourtant, elle ne m'étonnait pas. J'étais certain que le Sage était un grand croyant. Il ne me l'avait pas dit, mais je l'avais compris dès nos premières rencontres.

Les mots sont porteurs d'âme, et les âmes vivantes communiquent leur vie par leur intermédiaire.

Le Sage me donnait un peu de sa vie et sa vie était riche d'une foi que j'ignorais, mais que par lui j'expérimentais, car je ne pouvais pas croire que la lumière qu'il allumait en mon cœur et la force qu'il me communiquait, ne venaient que de lui. Nul arbre ne porte du fruit si la sève ne l'habite.

Mon Ami ne parlait pas de Dieu, mais il vivait de Lui. J'en étais sûr. Il priait.

Mais fallait-il que moi aussi je prie ?... Était-ce nécessaire pour découvrir la profondeur de l'amour ?... Je ne comprenais pas.

⁂

Je croyais en Dieu. Non pas parce que mes parents y croyaient — beaucoup proclamait ma mère, et mon père, vaguement — mais parce que je n'admettais pas d'être suspendu dans le néant, venant de nulle part et allant nulle part ; fleuve sans source et chemin sans issue. Je n'admettais pas de n'être que le fruit de milliards de hasards, mille fois plus « miraculeux » que tous les miracles dont on m'avait parlé au catéchisme. Je n'admettais pas que mon esprit ne fût que réactions de quelques acides en ma chair mortelle. Je n'admettais pas que la tendre affection de mes grands-parents et mon fol amour d'enfant pour eux, soient morts à tout jamais quand leur cœur cessa de battre et que leur corps devint poussière en la terre anonyme.

J'avais réfléchi à tout cela, et beaucoup d'autres choses encore. Longuement. Sérieusement. Mais seul. Trop seul. Comme un explorateur solitaire qui s'enfonce dans l'épaisse forêt vierge à la découverte de la source d'un fleuve mystérieux.

Sans compagnons, sans conseils, sans boussole, je m'étais perdu. Je m'étais découragé. Je ne cherchais plus.

J'étais résigné.

Qu'importe, je croyais en la Source et c'était l'essentiel. Je pouvais vivre sans rien connaître d'elle. Beaucoup d'hommes vivaient ainsi et ils n'en vivaient pas plus mal.

Cependant, de temps en temps, l'envie de partir à la recherche de mon origine — de mon dieu — me reprenait, lancinante ou violente. C'était comme un appel.

Quelque temps avant de rencontrer le Sage, je l'ai dit, l'appel était devenu irrésistible, il surgissait au creux de mes cafards, de mon dégoût de vivre sans savoir pourquoi je vivais.

J'avais évolué. Je ne cherchais plus quelque chose, mais de plus en plus *Quelqu'un,* comme un enfant né de père inconnu et qui ne peut se résoudre à vivre de sa vie, sans connaître son nom et contempler son visage.

Grâce au Sage je souhaitais de toutes mes forces que ce « visage » fût un visage d'amour, et cela ajoutait à mon trouble, car il ne correspondait pas à l'image que je me faisais du dieu de mon enfance, celui que j'avais « appris » et qui encombrait encore ma mémoire, sans que je puisse m'en débarrasser totalement. Car ce dieu était mon Dieu et je n'en doutais pas, puisqu'il n'y en avait point d'autre. Il fallait croire en Lui et vivre avec Lui. Sans comprendre. Sans aimer.

C'est pour cela que je trouvais plus simple de tenter de l'oublier.

Le dieu auquel je croyais était le Tout-puissant. Le Créateur. Le Maître absolu. Depuis toujours, il avait les pleins pouvoirs. Il distribuait donc ses bienfaits comme il l'entendait, selon des critères inconnus que je ne pouvais déchiffrer, mais qui me paraissaient profondément injustes. Il régnait sur la vie et la mort. Il jugeait. Il condamnait. Et surtout, surtout... il laissait l'homme souffrir atrocement. Peut-être même le faisait-il souffrir, puisque j'entendais dire par des croyants : « Dieu m'a envoyé cette épreuve... c'est sa volonté ! ». L'accepter était pour eux le sommet de la foi.

Moi, je n'acceptais pas.

Alors ?

Je croyais en Dieu... mais n'avais pas la foi des chrétiens !

Il m'arrivait cependant de prier, je le reconnais. Poussé par la nécessité ou la peur, je tentais d'obtenir les faveurs de ce Dieu tout-puissant. Je crus plusieurs fois qu'il m'avait exaucé, mais le plus souvent je me heurtais à son terrible silence et me décourageais.

Depuis mes rencontres avec le Sage, à nouveau, j'avais

envie de prier. *Besoin* de prier. C'était étrange. Je cherchais un interlocuteur. Je cherchais Dieu. Mais je ne voulais pas de mon dieu. Et je le lui disais :

Puisque je crois que tu existes, ô mon dieu inconnu,
Dieu qui me tourmente
Dieu silencieux,
Fais-toi connaître

Si je te prie, aujourd'hui, ce n'est pas pour obtenir « quelque chose »
C'est pour la LUMIÈRE,
j'ai besoin de lumière pour éclairer ma route
C'est pour L'AMOUR,
j'ai besoin d'être aimé pour pouvoir enfin aimer

Ô mon Dieu inconnu :
je ne te comprends pas,
je t'en veux,
je ne t'aime pas,
... et pourtant, *je voudrais t'aimer*
oui, je voudrais tant t'aimer !

C'est ainsi que j'osais m'adresser à Dieu. Mais j'avais peur. N'était-ce pas blasphémer ?

***

Quand, inquiet, je m'en ouvris à mon Ami, plus que jamais j'observais son visage. Ce visage qui parlait avant que ses lèvres ne parlent. Qu'allait-il me dire ?

Je fus étonné. Le Sage était paisible et au fur et à mesure que je m'exprimais, semblait habité par une joie grandissante.

Il dit : « C'est une bien belle prière, mon petit, que cette prière-là. »

Et sa joie parvint jusqu'à moi, comme un printemps qui naît après un long hiver.

J'étais heureux. Heureux de sa joie. Elle devenait la mienne. Irrésistiblement. Mais une fois de plus, je ne comprenais pas. Que se passait-il en moi, qui puisse faire naître un si grand bonheur ?

C'était encore la nuit.

Le Sage devina ma pensée. Je l'ai dit, il devinait tout, avant que je ne l'exprime. Lors de mes premières rencontres avec lui, j'en étais agacé, humilié, comme un homme, malgré lui, dénudé devant un étranger. Aujourd'hui, j'en étais heureux. Ainsi l'ami se réjouit que son ami le rejoigne au-delà des vêtements et des bruits de ses mots. Il n'a plus besoin de se dire, il lui suffit d'être là.

En toi, dit le Sage, c'est la nuit, mais la nuit de Noël. Réjouis-toi, car aujourd'hui en ton cœur, comme un petit enfant, naît le vrai Dieu du ciel et de la terre.

Il vient vers toi, Il vient en toi, parce que tu as dit « OUI ».

Accueille-Le. Aime-Le.

— Comment Le reconnaîtrai-je, puisque je ne Le connais pas ?

— Déshabille ton dieu, mon petit, car ton dieu n'est pas le vrai Dieu, et pas plus que toi, je ne puis m'agenouiller devant lui.

Ôte-lui ses habits de tout-puissant, de juge et de magicien. Écarte de lui ses attributs du pouvoir. Arrache-lui tous ces déguisements dont l'ont affublé à tes yeux, les savants, les hommes de lois et de règlements, comme tes préjugés et tes fausses connaissances, ton imagination et tes désirs, tes peurs et tes lâchetés.

Déshabille ton dieu.

Et quand enfin seront tombés, un à un, tous les oripeaux qu'en couches successives tu as recouvert le vrai Dieu, alors, aux yeux de ton cœur Il apparaîtra et tu connaîtras et *tu VERRAS, que le VRAI DIEU n'a qu'un visage, celui de l'AMOUR NU, JÉSUS-CHRIST*

NU en crèche
NU en croix

Le Sage leva la tête. Il regardait en face de lui. Je suivis son regard et vis qu'il contemplait un crucifix. Magnifique bois sculpté, fixé au mur, devant lui. Visage rayonnant d'un Jésus mort, mais vivant au-delà de sa mort.

Je sus alors, d'une certitude absolue, que c'est en « Lui » qu'il croyait. Que c'est « Lui » qu'il aimait.

— « Regarde, dit le Sage, sans détourner les yeux du Visage aimé.

C'est Lui le vrai DIEU venu au-devant de nous en Jésus-Christ,

sans vêtements humains,
sans puissance humaine,
sans pouvoir humain,
abandonné,
méprisé,
seul,
nu,

pour que les hommes, enfin, *croient que seul l'AMOUR donne la Vie,* sauve la Vie, fait fleurir la Vie en joie éternelle »

Mon Ami se tut. Il baissa la tête et je vis que ses lèvres à nouveau bougeaient imperceptiblement. Je savais maintenant qu'il priait et je respectais sa prière.

*
**

Il pria longtemps, et j'observais que non seulement le silence ne me gênait plus, mais qu'il me comblait. Je m'installais en lui comme en un lit de paix. J'en sortais étrangement reposé.

Mais le Sage relevait la tête. Tout à coup, il dit d'une voix forte : « Père, pardonne-leur, ils ne savent pas ce qu'ils font » (1)...

Ils ne savent pas reconnaître l'AMOUR
Ils bafouent l'AMOUR
Ils tuent l'AMOUR
Hier, aujourd'hui, demain.
En Toi, en Tes membres.

« Père, pardonne-leur, ils ne savent pas ce qu'ils font ! »
Père, pardonne-nous,
et redonne-nous l'AMOUR.

*
**

A nouveau il se tut. Il priait encore.

Je baissais la tête, comme pour mieux vivre à l'intérieur. Et je crois que moi aussi je priais, car je me pris à murmurer tout à coup :

« Ô Père, pardonne-moi, car je ne savais pas ce que je faisais ! »

C'est à partir de ce moment précis, que j'eus *envie d'être pardonné*.

---

(1) Luc 23, 34.

⁂

Ce fut moi, cette fois, qui rompis le silence. Je dis au Sage :

— Si Dieu est bien celui dont vous parlez, je suis prêt à l'aimer. Ce serait tellement beau, un Dieu qui soit tout proche, et qui ne fasse plus peur !...

Mais comment pourrais-je croire en ce Dieu si pauvre, si démuni, si loin, ô oui, si loin de l'image de mon dieu, *celui en qui je croyais sans pouvoir l'aimer ?*

— Va vers les autres, mon petit, répondit le Sage,

... et prie encore, car « Nul ne vient à Jésus, si le Père ne l'attire » (2).

---

(2) Jean 6,44.

15

« Il » m'attirait. J'en étais sûr maintenant. Depuis longtemps, depuis toujours, « Il » m'attirait.

C'était « Lui » qui me faisait signe au-delà de mes faims et de mes soifs inassouvies. Au-delà de mes dégoûts de moi-même, de mes cafards, de mes remords. Au-delà de mes révoltes devant l'injustice et les souffrances des hommes. Au-delà de mes désirs fous de vérité, de paix, d'amour, c'était Lui !

« Lui », le Dieu-Amour.

Il m'attirait... mais comment aurais-je pu Le rencontrer ? J'étais enfermé dans ma maison close. Il fallait que je me lève et que je sorte de chez moi.

Je m'étais levé. J'étais sorti. Mais j'hésitais sur le pas de la porte. Et le Sage me poussait.

Il me poussait sur ma route d'homme. La mienne. Pas celle de mes idées, de mon imagination et de mes rêves. Ni celle de mes impressions, mes sensations, mes émotions. Mais celle de mes frères de chaque jour, en ma vie quotidienne.

Il me disait : « Aime-les » ; et me mettant sur leur route, il me mettait sur le chemin de Dieu. Du Vrai Dieu.

Moi, je ne savais pas que « Dieu, personne ne l'avait jamais vu » (1), mais qu'Il avait pris *visage d'homme* en Jésus. Et

---

(1) Ire Épître de Jean : 4,12.

que depuis la venue de Jésus, nul ne pouvait aimer et servir Dieu qu'il ne voyait pas, s'il n'aimait et ne servait ses frères qu'il voyait (2).

A tâtons, dans la nuit, je cherchais Dieu, mais je ne le cherchais pas sur la bonne route. Et le dieu que je cherchais, était un faux dieu.

Maintenant, j'avais tout à apprendre.

Mon Dieu déshabillé, nu, en crèche
nu, en croix
de toutes mes forces, je désirais Le connaître et L'aimer.

***

Je revins vers le Sage et lui dit : « Ami, parlez-moi encore de Dieu. »

— Je parlerai, mon petit, puisque tu me le demandes. Mais sache qu'on n' « apprend pas » Dieu. Il se révèle.

Peut-être qu'à travers mes mots tu recueilleras sur Lui quelques lumières, mais « LUI », *c'est en aimant, dans ta vie,* que tu Le rencontreras, et Le re-connaîtras.

— Dites-moi, tout de même votre foi.

— Toute ma foi ?

— Oui.

— Il est beaucoup trop tôt, tu ne comprendrais qu'avec ta tête mais ton cœur ne suivrait pas.

— Dites-moi, tout de même, votre foi... mon cœur suivra... de loin.

Alors, il dit :

---

(2) Ire Épître de Jean : 4,20.

Je crois que Dieu « EST » AMOUR (3)
Je crois qu'Il « EST » FAMILLE
Père, Fils, Esprit-Saint
trois personnes, tellement unies par l'AMOUR
qu'elles ne font qu'UN

Je crois que Dieu est bonheur infini
parce qu'Il est AMOUR infini

*
**

Je crois que la création est fruit de l'AMOUR
parce que l'AMOUR veut faire participer à son bonheur
Je crois que tout homme, avant même qu'il ne soit,
est aimé personnellement et infiniment par Dieu (4)
et qu'il le sera toujours, quels que soient son visage et les chemins de sa vie
Je crois alors que l'homme est pensée d'amour de Dieu, fait chair,
et que cette « image » de Dieu en lui
peut être défigurée, mais jamais ne peut être détruite
Je crois que l'homme fait par amour, a été créé pour l'AMOUR
et donc LIBRE
et invité au bonheur infini de l'AMOUR

*
**

Je crois que Dieu a donné toute la création aux hommes
pour qu'*ensemble,* ils en prennent possession, l'achèvent
et la mettent au service de tous.
Je crois que Dieu a créé l'homme créateur avec Lui
— par la famille humaine, image de sa FAMILLE —
et libre de faire jaillir la vie ou de la refuser.

---

(3) Ire Épître de Jean : 4,8.
(4) Éphésiens : I, 4-5.

*
**

Je crois que « Dieu a tant aimé le monde, qu'Il a envoyé son Fils dans le monde » (5)
et qu'ainsi *l'AMOUR infini, a pris, en Marie, VISAGE D'HOMME*
Corps d'homme
Cœur d'homme
JÉSUS DE NAZARETH
trente-trois ans de vie, plantée au centre de l'Histoire humaine et la recouvrant toute.

Je crois que Jésus,
parce qu'Il est homme, est frère de tous les hommes
parce qu'Il est frère de tous les hommes, est solidaire de leurs péchés, le non-amour,
et *souffre de leurs souffrances* autant qu'Il a souffert de la sienne.
Je crois que Jésus, en donnant sa vie, *par amour* pour ses frères
a redonné à chacun d'entre nous et à l'Humanité entière, tout l'amour par nous gâché,
et que restituant l'amour, Il nous a restitué la vie.
Je crois que Jésus a traversé la mort, qu'Il est VIVANT parmi nous, jusqu'à la fin des temps
et que les hommes, par Lui et en Lui, peuvent vivre la VIE qui ne finira pas.

*
**

Je crois que les croyants et amants de Jésus forment ensemble
un grand peuple, une grande communauté : l'Église
Je crois que cette communauté-Église, dont je suis membre en Jésus et avec mes frères,
est, *par nous,* pauvre et pécheresse,
et qu'elle n'a pas su garder son Unité

(5) Jean : 3,16.

Mais je crois qu'elle est appelée à être Sainte,
UNE, et signe de l'AMOUR
Je crois que Jésus a voulu pour elle, des responsables,
que ces responsables sont des hommes, et donc qu'ils sont pécheurs
et peuvent se tromper,
Mais je les respecte et je les aime parce que Jésus les a voulus, choisis, appelés,
et que Son Esprit les accompagne sur les longs chemins de l'Histoire.

*
**

Je crois que l'Esprit de Jésus, l'ESPRIT SAINT, est SOUFFLE D'AMOUR
qui vient au-devant de l'homme — libre —
liberté qui peut s'ouvrir à Lui
pour L'accueillir
se laisser envahir par Lui, traverser par Lui
et être envoyé vers les autres
SOUFFLE D'AMOUR qui unit l'homme à l'homme
les hommes aux hommes, et à l'univers
et qui bâtit le « Royaume du Père »,
Royaume d'AMOUR enraciné dans l'aujourd'hui de l'Histoire humaine
pour s'épanouir demain dans l'AMOUR TRINITAIRE

*
**

... et c'est pourquoi, mon petit, je crois, qu'avec Jésus-Christ, en Jésus-Christ :

VIVRE c'est AIMER sous le SOUFFLE DE L'ESPRIT

Et je crois que l'AMOUR ne peut pas mourir,
parce qu'il vient de Dieu
et retourne à Dieu

*
**

J'avais écouté, subjugué, fasciné. C'est vrai, je ne comprenais pas, mais je faisais confiance. Ainsi l'homme tout entier recueilli, fixe la ligne sombre de l'horizon, là où la nuit hésite encore, puis lentement s'efface devant le soleil qui se lève.

Et les caresses de la lumière, sur les boutons de fleurs, viennent sécher, une à une, les larmes de la nuit.

C'était « Lui » mon soleil, « la Lumière qui éclaire tout homme ! » (6)

Il s'était levé dans les ténèbres de mon cœur, et mon cœur l'avait reconnu sans le connaître pleinement. J'étais dans la Joie et m'écriais :

— Ami, c'est donc « Lui », ce SOUFFLE MYSTÉRIEUX, qui vient d'ailleurs et vole vers l'ailleurs !

— Oui, mon petit, c'est Lui, l'ESPRIT SAINT, l'Esprit d'AMOUR, DIEU.

— Et l'Esprit de Dieu est présent à nos amours ?

— Oui, mon petit, comme le soleil est présent à chacun de ses rayons, et la Source présente à chaque goutte d'eau de la rivière.

Les rayons de Soleil, vois-tu, ne sont pas le SOLEIL. La rivière n'est pas la SOURCE, mais il n'y aurait ni lumière, ni rivière, sans le SOLEIL et sans la SOURCE, qui s'offrent et puis se donnent.

Ainsi l'AMOUR est plus grand que ton cœur et bien plus grand que ton corps. L'AMOUR est SOUFFLE de DIEU qui envahit la terre. Il pénètre ton cœur et ton corps, comme il pénètre tout

(6) Jean I, 9.

homme qui aime. Car « tout amour — authentique — vient de Dieu » (7) et s'envole vers Dieu, en passant par l'homme libre, qui s'ouvre, reçoit et à son tour redonne.

— Mais alors dis-je, subitement inquiet. Comment peuvent-ils aimer, ceux qui ne connaissent pas le DIEU-AMOUR ?

— Les rayons de soleil ne connaissent pas le Soleil, ni la rivière la Source, et pourtant la lumière brille sur le monde, et dans le lit de la rivière, l'eau coule vers la mer. Ainsi, mon petit, beaucoup d'hommes aiment leurs frères, sans connaître l'AMOUR qui les anime, et sans connaître le Nom et le Visage de Celui qu'ils aiment, lorsqu'ils aiment leurs frères.

S'ils sont fidèles, ils les découvriront, plus tard, quand la VIE, éclatera au-delà de la trompeuse mort, celle du grain qu'on dit mort, parce qu'il est enterré. Alors, leurs yeux et leurs oreilles s'ouvriront et Jésus leur dira : « C'était MOI ».

C'était MOI, l'affamé que tu as nourri,
affamé de pain, de dignité, d'amitié

C'était MOI, l'étranger que tu as accueilli,
l'homme de l'au-delà des frontières, qu'entre vous, vous avez dressées

C'était MOI, le prisonnier que tu as libéré,
l'esclave rivé à toutes les chaînes que les hommes ont forgées

C'était MOI... C'était MOI...
C'était MOI, le PAUVRE, pauvre de toi, tant que gardant ta vie pour toi,
tu ne t'étais pas donné à Moi en te donnant aux autres

---

(7) Ire Épître de Jean : 4,7

... et ceux-ci entreront dans la JOIE de l'AMOUR infini, *parce qu'ils auront aimé* (8).

— Mais alors dis-je, il suffit d'aimer ; qu'importe à l'homme de connaître son Dieu, du moment qu'il lui est fidèle !

— Ne dis pas cela mon petit. Tu découvriras peu à peu que Celui qui aime n'a qu'une passion : se révéler à l'aimé. Et celui qui est aimé, qu'un désir : connaître le nom et le visage de son AMOUR. Alors l'un et l'autre, dans la clarté, peuvent librement s'accueillir et se donner.

***

Je me retirai sans bruit. Heureux et recueilli, comme un homme s'en va, ému d'une Rencontre. Car pour moi, aujourd'hui, Dieu était devenu... « QUELQU'UN ».

---

(8) Matthieu 25, 31 à 46.

16

C'était trop beau J'étais heureux, mais inquiet.

Je ne pouvais plus suivre. Mon cœur s'envolait, mais mes pieds lourds traînaient sur le chemin. Ainsi l'homme captif, enfin libéré mais ébloui, marche à tâtons sur la route retrouvée.

Autour de moi, la vie ne changeait pas. La réalité était là. Têtue, moins belle que mes rêves... car n'avais-je pas rêvé ? Quelquefois, je le craignais sans y croire vraiment.

Ma famille, mon travail, le monde, avaient retrouvé leurs couleurs des journées sans soleil.

Je n'avais pas encore compris que la lumière était en moi et que la route s'éclairait quand mon cœur brûlait.

Les autres autour de moi me paraissaient très loin. J'étais persuadé, sans l'avoir vérifié, qu'ils ne pensaient pas ce que je pensais, ne voyaient pas ce que je voyais. Avec qui pouvais-je alors partager ma joie, mes espoirs et mes doutes ? Et d'ailleurs, aurais-je trouvé les mots pour les dire, que je n'aurais point osé. On se serait moqué de moi.

Une fois encore, je me retrouvais seul.

Cependant mes découvertes et les certitudes qui peu à peu s'installaient en moi, m'obligeaient irrésistiblement à changer de vie. Je « sortais » moins, et signe très important, dans ma chambre que je ne fuyais plus, le silence plus souvent demeurait, sans que je le chasse.

Dehors, j'écoutais les autres et me prenais à les regarder d'un œil bienveillant. Naissait alors la sympathie, là où jusqu'à présent, régnait l'indifférence et quelquefois l'hostilité.

Je m'engageais de plus en plus au service de mes frères, presque sans le vouloir, comme poussé par une force en moi, libérée elle aussi, et maintenant disponible. Était-ce le SOUFFLE ?

Je n'osais pas répondre, mais je tendais ma voile.

Je l'avoue, je ne me reconnaissais plus moi-même. J'étais plus décidé, plus fort, en même temps, plus petit, plus faible. Je me disais que seul je n'arriverai pas à vivre et à aimer comme je le désirais.

J'avais besoin de « quelqu'un ». De Dieu ? Peut-être En tout cas, pas de mon ancien dieu, mais de Celui du Sage, le DIEU-AMOUR, le vrai. Je ne Le connaissais pas et pourtant... je me surprenais de plus en plus à Le prier. Du moins, je crois que je priais, car je ne savais toujours pas ce que c'était que de prier.

***

C'est ainsi que je vivais et que je pensais, quand je reçus cette lettre du Sage :...

Une fois encore mon petit, je me reproche d'avoir trop parlé lors de notre dernière rencontre. Il faut être patient. Beaucoup de temps sépare les semailles de la moisson, et rien ne sert de tirer sur la pousse qui naît.

Pardonne-moi, mais comprends-moi. Bien avant toi, j'ai souffert de la faim et de la soif de vivre, et comme toi j'ai découvert que sous cette faim et cette soif, très profond en mon cœur, se cachait le désir d'aimer et plus encore celui d'être aimé.

J'ai cherché et j'ai rencontré Dieu, venu au-devant de nous, en Jésus de Nazareth. J'ai cru en Lui. J'ai cru en Sa Parole. Je sais maintenant que je suis aimé depuis toujours. Et j'aime Celui qui m'aime (1)... et je L'aime davantage au fur et à mesure que je découvre la profondeur de Son Amour.

Or, vois-tu mon petit, je te l'ai dit déjà, celui qui est aimé et qui aime, ne peut pas s'empêcher de faire connaître Celui qu'il aime. C'est pour cela que j'ai parlé.

Mais le bruit de mes mots ne doit pas étouffer le murmure de Sa Parole. Je ne peux que te conduire sur la route, au rendez-vous du cœur, mais c'est « Lui » qui te déclarera son amour.

Lève-toi, va au-devant de Lui, qui vient au-devant de toi.

L'homme est fou qui prétend vivre sans la VIE, et aimer sans l'AMOUR.

Pour un croyant, *oublier de prier, c'est oublier de vivre.*

Beaucoup d'hommes aujourd'hui dépérissent, car au fur et à mesure qu'ils grandissent, ils croient pouvoir se passer de Dieu. Ils dominent la terre. Ils la maîtrisent chaque jour davantage. La vie elle-même est de plus en plus docile entre leurs mains habiles.

Dieu l'a voulu. C'est bon, et c'est beau.

Mais les hommes oublient que ce ne sont pas les voiles du bateau qui font naître le vent. Or, ils consacrent beaucoup

---

(1) Ire Épître de Jean 4,10.

plus de temps à étudier les plans de navires magnifiques, à dresser les mâts et réparer les voiles, qu'à s'offrir au vent qui sur les flots, les fera courir, et traverser les mers.

A force d'oublier Dieu, les hommes orgueilleux pensent pouvoir se passer de Lui. Chacun se croit dieu, et seul veut grandir en exploitant les autres. Or, les hommes vivront et de la terre feront un monde de justice et de paix, quand ensemble ils pourront s'adresser au Dieu unique en lui disant : « NOTRE PÈRE » Ce qui veut dire : tu es notre Vie et tu es notre AMOUR, nous sommes tes fils et nous sommes des frères.

C'est pour cela, mon petit, que je t'ai demandé de prier.

*
**

Prier, c'est aller au-devant de « Notre Père », le DIEU-AMOUR, comme le fleuve au-devant de sa source et la lumière au-devant de son soleil.

Prier, c'est dire à Dieu :

SOURCE, j'attends de Toi l'eau vive, entre mes rives journalières,
sans Toi, eau croupissante je serais,
qui pourrit et qui meurt.

SOLEIL, j'attends de Toi la lumière, pour ma route de jour,
sans Toi, je ne serais qu'enfant de nuit,
perdu,
sur chemin sans issue.

VENT, j'attends de Toi la force, qui gonfle mes voiles offertes,
sans Toi, je ne serais que barque reléguée,
qui du port jamais ne franchit les jetées.

BRISE, j'attends de Toi le souffle, pour prendre mon envol,
sans Toi, je ne serais qu'oiseau pollué,
qui se traîne en la boue.

... et de TOI, l'ARTISTE, j'attends que tu fasses jaillir de mon bois
et mes cordes, une mystérieuse vie,
car sans TOI, je ne serais qu'instrument inutile,
couché, immobile et muet, dans l'écrin de mes jours.

... Mais au-devant de TOI je viens,
Me voici Ô ARTISTE ineffable,
et comme violon blotti, en tes bras amoureux,
recueilli et libre, sous Tes doigts qui me cherchent,
je m'offre pour T'épouser d'une étreinte d'amour,
et notre enfant sera MUSIQUE, pour que chante le Monde.

***

Oui, mon petit, prier,
C'est se lever et marcher au-devant de Dieu, qui vient au-devant de nous
C'est reconnaître qu'Il est notre VIE et qu'Il est notre AMOUR
C'est tout entier se recueillir et tout entier s'offrir
pour se laisser aimer, avant que de vouloir aimer

17

Je priais.

Cette fois je priais. J'en étais sûr... en même temps qu'étonné.

Je souriais en pensant que mes parents, mes amis, autour de moi, étaient loin de se douter de cette profonde évolution en ma vie. J'avoue, une fois encore, que je n'aurais pas osé la leur révéler. Non par honte, mais parce que je craignais que d'une réflexion, d'un sourire, ils n'abîment en moi ce qui naissait de beau.

Une fleur est fragile quand elle éclôt au matin d'un printemps !

Je ne priais pas seulement avec des mots, mais avec tout mon être rassemblé, tentant de me rendre présent à Celui que dans la nuit je savais infiniment PRÉSENT. Et comme me l'avait conseillé le Sage, j'essayais simplement *de me laisser aimer*. En silence.

Je pressentais que c'était là l'essentiel. Mon Ami, plus tard, devait me le confirmer, prétendant que j'avais mis très peu de temps à le découvrir.

Je savais désormais, que je ne pourrai plus — comme jadis de temps en temps je le faisais, lorsque j'étais perdu, faible et peureux — tenter de m'attirer les bonnes grâces de mon dieu d'alors. Cet espèce de maître tout-puissant de je ne sais quel supermarché, pour hommes affamés.

Je ne demandais rien. La seule Force que je quêtais, c'était la Force de VIVRE et d'AIMER.

Ce n'était pas facile, car mon esprit vagabondait et mes désirs en mon cœur brûlaient. J'étais habité par un monde en folie, où l'on dansait, se battait et criait sur mes places publiques. Je les traversais sans m'inquiéter. Au contraire. Je serrais au passage les mains de mes amis, je portais leurs bagages de soucis et les problèmes du monde, puis lourd de ces encombrants fardeaux, lentement, souvent péniblement, en ma barque fragile, je remontais mon fleuve pour atteindre ma Source.

J'étais récompensé. Quand on boit à la Source on est désaltéré.

Je le sus plus tard, Jésus avait dit :

« Qui boira de l'eau que je lui donnerai
n'aura plus jamais soif.
L'eau que je lui donnerai
deviendra en lui source d'eau jaillissante pour la Vie éternelle » (1)

Là était la VIE. J'en étais sûr. Mais je le redis, *ce n'était pas facile.*

*
**

Ce n'était pas facile à cause de mes habitudes passées, de ma lourdeur, mais aussi à cause de certaines de mes questions qui restaient sans réponse. Elles étaient maintenant plus sérieuses, plus profondes et pour cela me gênaient davantage.

---

(1) Jean-4,14.

J'avais toujours besoin des lumières du Sage. J'en aurai besoin longtemps encore !

*
**

— Ami, lui dis-je, ce soir-là, vous me conseilliez d'attendre tout de Dieu, mais si j'attends tout de Lui, que me reste-t-il donc à faire ?

— Il te reste *tout* à faire, dit-il.

Comprends-moi :

Le plus grand artiste ne peut jouer sur des cordes cassées,
Le souffle du vent devient impuissant devant le bateau démâté et les voiles repliées,
Le glacier le plus pur ne saurait engendrer un fleuve magnifique si dans le creux de son lit, sont couchées des ordures,
... et Dieu-Amour ne peut rien si l'homme libre, ne se présente debout,
artisan laborieux de sa propre vie,
et ouvrier des mondes avec ses frères rassemblés.

Nous devons tout faire — mais nous sommes libres de le faire — et en même temps nous devons tout attendre de l'AMOUR sans lequel rien ne vit et ne survit.

— Mais nous agissons mal. Affreusement mal. Pourquoi Dieu nous laisse-t-il accumuler tant d'erreurs et subir tant de souffrances ?

— Parce qu'*Il ne peut pas l'empêcher.*

— Mais Il peut tout.

— *Tout, sauf nous ôter la liberté.*

⁂

Je ne voulais pas comprendre.

Je sentais brusquement en moi se réveiller toutes mes révoltes passées. Je pensais à tous les moments de ma vie gâchée, à cause de cette « liberté ». Au mal que je m'étais fait et celui que j'avais fait. Je pensais surtout à la misère du monde : les maladies, la faim, les injustices, les guerres..., cortège effrayant d'innombrables et innommables souffrances que l'humanité traîne avec elle depuis la nuit des temps.

Dieu assistait donc impassible à ce gâchis monstrueux ! Comment pouvoir l'admettre ?

En un instant les certitudes, qu'en moi je croyais fermement établies, à nouveau vacillaient sur leurs bases. Allaient-elles s'écrouler ?

Le doute était réapparu. Je le croyais vaincu. Mais il vivait encore, termite dévastateur, sous la couche légère de mon bonheur fragile.

Oui, *je doutais de l'AMOUR*.

En prendre conscience me bouleversait. J'étais consterné. Mais la révolte en moi se fit plus forte que mon abattement, et c'est presque en criant que je m'adressais au Sage :

— Pourquoi Dieu nous a-t-il donné cette liberté qui tue ? Il savait qu'elle tuerait !

— Parce qu'Il nous aime, répondit-il doucement.

— Est-ce aimer que risquer la souffrance et la mort de ceux qu'on aime !

Est-ce aimer que de les laisser croupir dans les prisons, crier sous la torture, mourir de faim, se battre, tuer et se faire tuer !...

Ma colère se gonflait de toutes les plaintes des hommes. Elle se nourrissait de toutes les prières inexaucées des suppliants, qui depuis des siècles demandèrent en vain, pour eux ou pour les leurs, d'être soulagés, préservés, sauvés.

Je voulais une réponse. Pour les autres. Pour moi. Il me fallait atteindre en moi le doute, et le terrasser à jamais. Avec lui présent en mon cœur, je ne pourrai revivre.

— Calme-toi, mon petit, dit le Sage. Écoute :

La maman aimerait-elle son enfant, si elle refusait de le « mettre au monde »
parce que le monde est méchant ?
L'aimerait-elle si, petit bébé, elle refusait de le « mettre à terre »
parce qu'il ne sait pas marcher, et risque de tomber et se blesser ?
L'aimerait-elle si, adolescent, elle l'enfermait en sa maison
parce qu'il ne sait pas encore vivre et aimer ?

Il se tut, et je ne disais rien. Je n'avais rien à dire. Je savais que plus tard seulement, lorsque je serai rentré à la maison, je trouverai de nouveaux arguments pour me battre.

Pour l'instant, j'avais une fois encore la désagréable impression que discuter avec le Sage était inutile. Mon esprit se rebellait, mais je le pressentais, mon cœur déjà, tout bas, acquiesçait.

Ce qui me désarmait chez mon Ami c'était son calme. Sa douceur. Je sentais qu'il ne voulait pas me convaincre pour gagner, mais me faire comprendre pour m'aider.

Et c'est pour cela que je croyais, tout au fond de moi... qu'il devait avoir raison.

Il reprit : Vois-tu mon petit, une maman qui aime authentiquement est capable, à cause même de cet amour, de risquer que son enfant tombe, se blesse et meure, plutôt que de lui ôter la liberté de vivre. Et pourtant, elle *sait* d'avance qu'il souffrira.

Si reculant devant ce risque, elle refusait de se séparer peu à peu de l'enfant chéri, de ne plus le porter et le « protéger » — sous prétexte de lui épargner les épreuves de la vie — *elle tuerait en lui l'homme qu'il devait devenir.*

— Mais si son enfant se blesse dis-je timidement — car l'assurance que me donnait la colère était tombée — l'abandonnera-t-elle, sous prétexte qu'il est... un homme ?

— Non, elle ne le laissera pas seul. Elle se hâtera vers lui, se fera plus proche et portera sa souffrance avec lui.

— Mais la souffrance demeurera.

— Certes. Mais si l'enfant se laisse aimer, il deviendra plus fort pour la porter. Quand quelqu'un est « touché » par un amour vrai, cet amour fait surgir en lui une énergie cachée : celle de la vie trop longtemps retenue.

Aimer, c'est faire jaillir en l'autre, une nouvelle vie. C'est le re-créer.

— Et c'est ainsi pour Dieu ?

— Exactement. Sauf que pour Lui son Amour est infini et la VIE qu'Il nous donne, c'est sa VIE éternelle.

— Il n'est alors que de nous ouvrir à Dieu !

— Oui, mais de cela aussi, nous sommes libres, car où serait l'amour si nous étions forcés d'aimer ?

***

Ainsi j'ai compris peu à peu, poursuivit le Sage, que Dieu parce qu'Il est AMOUR, ne pouvait pas faire autrement que de nous créer libres. Parce qu'Il est Père — et non paternaliste — Il ne pouvait pas faire autrement que de nous vouloir debout, et *totalement responsables :* de nous-même, des uns et des autres, et ensemble, de l'univers et de l'humanité.

Nous avons grandi. Et notre pouvoir sur le monde et sur la vie grandit. Nous grandirons encore. Mais aujourd'hui je le crois, l'homme est déjà devenu adulte.

— Mais il est toujours aussi faible.

— C'est vrai. Il est image de Dieu et non pas Dieu. Nous l'oublions et manquons de logique. Nous sommes fiers de notre liberté et nous la défendons farouchement. Nous l'exigeons totale mais, quand nous en usons mal, nous « prions » Dieu de venir réparer nos erreurs et panser nos plaies.

Parce qu'Il n'intervient pas comme nous le voudrions, nous nous scandalisons et nous doutons de son amour... ou de son existence.

— Mais Il intervient quelquefois ?

— Jamais à la façon des hommes, en « prenant le pouvoir » à notre place. Il ne nous respecterait pas. Ne nous aimerait pas, et si je peux m'exprimer ainsi, c'est sa souffrance de ne pouvoir le faire. Il est comme « prisonnier » de Son Amour.

Mais Il nous envoie son Fils pour révéler cet AMOUR infini et nous le rendre proche.

Jésus vient, non comme le dieu Tout-Puissant que trop souvent nous attendons, mais DIEU-HOMME, notre frère, solidaire de nos erreurs, et *sans aucune autre puissance que celle de l'Amour qui se livre, et qui sauve.*

Lui non plus ne nous laisse pas seuls avec nos souffrances. Il les porte avec les siennes et donnant sa VIE pour nous, nous redonne en même temps la nôtre libérée. VIE NOUVELLE et vie retrouvée, ressuscitée, en nos cœurs qui l'accueillent.

Nous sommes re-créés mais toujours libres.

... Ce n'est que progressivement que tu entreras dans ce mystère de l'AMOUR. Alors tu pourras aimer authentiquement !

*
**

— Rassure-toi je ne suis pas étonné de tes révoltes. Je les ai partagées. Moi aussi, certains jours, j'ai eu envie de crier à Dieu ma rancune devant son effrayant silence. Et je maudissais cette belle, mais tragique liberté qui trop souvent fait du monde un champ de bataille et de nous des souffrants. Mais j'ai compris, que si par impossible, nous pouvions renoncer à cette liberté, nous renoncerions à être homme, et cesserions de pouvoir aimer.

Alors, en pleine lumière, j'ai accepté le beau risque de la vie, le beau risque de l'amour, pour moi... — le Sage hésita un court instant puis ajouta —... et pour d'autres...

Un jour, je t'expliquerai.

Il se recueillit longuement. Puis sans changer de place, pour la première fois, devant moi, à haute voix il pria :

Tu aurais pu, Seigneur, nous faire arbre en forêt, ou brebis dans un pré,
Tu aurais pu nous faire marionnettes fringantes au castelet de l'Histoire et
tirant les ficelles de nos membres dociles
nous aurions joué sans faute la comédie humaine.
Mais nous sommes Hommes, debout et libres
O Seigneur, Merci
Car Tu n'as pas voulu de nous faire des jouets de luxe, pour
distraire ton ciel
Mais des fils pour T'aimer
et des frères pour s'aimer

⁂

Tu aurais pu, Seigneur, nous offrir un monde tout fait, où rien n'est à chercher et rien n'est à trouver,
des villes achevées, et des ponts jetés sur les fleuves domptés
des logements construits et des routes tracées, sur les montagnes aplanies
des usines-paradis, pour ouvriers dociles
des plans à appliquer, sans erreurs possibles.
Mais nous sommes Hommes, debout, libres, et bâtisseurs de Monde
O Seigneur, Merci
Car tu n'as pas voulu de nous, faire des exécutants sans âmes, d'ordres venus du ciel,
Mais des responsables de l'univers,
fiers créateurs sous ton regard de Père

⁂

Tu aurais pu, Seigneur, programmer nos unions et bâtir nos foyers
nous donner des fils tout élevés, et des petits-fils, en nombre décidés
Tu aurais pu compter nos baisers et régler nos étreintes,
conduire nos mains vers les mains de nos frères,
et faire fleurir ainsi, sur une terre de rêve,
des couples à tout jamais liés, des amitiés forcées, une paix imposée.
Mais nous sommes Hommes, debout, libres, et responsables d'Humanité
O Seigneur, Merci
Car tu n'as pas voulu de nous, faire des poupées de chair, soumises, entre tes doigts agiles,
Mais des enfants chéris, riches de vie reçue,
qui choisissent d'aimer
ou refusent d'aimer

⁂

Et quand enfants terribles et oubliant leur Père, nous avons tout cassé en ce monde fragile
confisquant pour nous, ce qui est pour nos frères,
nous disputant le pouvoir, nous exploitant, nous battant et nous tuant
Tu aurais pu, Seigneur, désespérant de nous, nous ôter ta confiance et ton amour fou
et reprenant le pouvoir que tu avais donné
refaire, à notre place, un paradis sur terre.
Mais nous ne serions plus, Hommes, debout, et libres.

C'est alors, O Seigneur, que pour nous sauver, sans tuer la liberté
Tu as envoyé ton Fils, homme comme nous, debout, et libre.

Et toi, Jésus, tu aurais pu changer les pierres en pains (2)
et nourrir de ta main, les hommes qui ont faim
Tu aurais pu séduire l'Humanité, par ta toute-puissance, devant nous enfin dévoilée
et nous aurions dit oui, sans pouvoir Te dire non
Mais nous ne serions plus hommes, debout et libres.

Tu aurais pu, pour nous, être le Dieu vainqueur, terrassant nos ennemis,
et nous aurions reçu la paix, sans l'avoir gagnée
Tu aurais pu, ensuite, rejoindre sans entrave, le ciel de ton Père,
par un autre chemin que le chemin de Croix
Et nous serions restés, hommes debout, *mais seuls*
avec entre nos mains, nos péchés, nos souffrances
ces déchets de l'amour, quand avorte l'amour.

⁂

Mais tu es monté sur l'arbre mort,
épousant nos péchés et nos souffrances, en épousant son bois
Et l'arbre a refleuri d'une nouvelle VIE,
et son fruit est l'AMOUR, qui sauve et qui rend libre

(2) Tentations au désert : Matthieu 4-1,11.

⁂

O Seigneur je t'aime, parce que tu m'aimes assez pour me vouloir libre
et que risquant ta gloire pour cette liberté
chez nous tu es venu, homme « tout-impuissant » mais « tout-puissant » d'Amour

O Seigneur je t'aime, parce que cette effrayante liberté qui nous fait tant souffrir,
est cette merveilleuse liberté qui nous permet d'aimer

Alors, lorsque courbant sous la croix de nos jours,
et quelquefois tombant,
lorsque pleurant, criant, devant la croix du monde,
et quelquefois hurlant,
nous serons tentés de blasphémer, de fuir,
ou seulement nous asseoir,
Donne-nous la force de nous relever, et de marcher encore,
Sans maudire ta main qui se tend, mais ne porte nos croix
si nous-mêmes, nous ne les portons, comme Tu as porté la tienne

DEUXIÈME PARTIE

Quand l’amour prend un visage

18

Il est dangereux de s'approcher de la lumière. J'en ai fait la douloureuse et nécessaire expérience. Quand dans une maison une pièce est sombre, elle cache son désordre ; mais quand le jour paraît, paraissent aussi la poussière sur les meubles, et la saleté à terre.

Je n'aurais pas voulu que le Sage visite ma maison. Et pourtant !

Mon cœur était encombré. Tout ce que j'avais pensé, imaginé, rêvé, et... fait, toutes mes recherches, mes expériences, mes tentatives pour aimer — du moins ce que j'appelais alors, aimer — gisaient pêle-mêle en la mémoire de mon cœur blessé. Les souvenirs sont tenaces et s'il en est de lumineux, beaucoup d'autres sont tristes et laids. Nous les portons avec nous, entassés, comme dans nos greniers et nos caves, les vieux objets cassés, qui se détériorent et pourrissent.

Aujourd'hui je voulais m'en débarrasser. Mais ils étaient là.

J'avais envie d'en parler. Besoin de parler. Je pensais que si j'y parvenais, je serais en partie libéré. Mais j'avais peur de décevoir le Sage. J'avais honte de me montrer tel que j'étais. Que penserait-il de moi ? Je tenais tant à son amitié.

***

Ce fut beaucoup plus facile que je ne le prévoyais.

Je lui parlais d'abord de tous les rêves et désirs fous qui, en mon cœur et mon corps, depuis longtemps déjà, tournaient et retournaient comme animaux en cage.

Il m'écoutait attentivement, paisiblement.

Alors je m'enhardis et je lui avouais tout ce que j'appelais maintenant mes erreurs, mes fautes, tout cet amour gâché, sali, qui m'avait blessé et qui j'en suis sûr, en avait blessé beaucoup d'autres. J'avais mal. Comme si, déterrant ces souvenirs enfouis je les découvrais plus tristes encore que je ne l'avais pensé.

Je m'exprimais de plus en plus lentement.

De temps en temps, relevant timidement la tête que je tenais baissée, je m'arrêtais, guettant sur le visage du Sage, les traces d'une réprobation ou d'une condamnation. En vain. Il demeurait paisible. Accueillant. Chaleureux, même. Alors j'osais le regarder dans les yeux, et son regard me rassura.

Je compris qu'il m'aimait toujours autant.

— Comme tu as dû souffrir, murmura-t-il enfin !

— Pourquoi ne vous ai-je pas connu plus tôt, soupirai-je à mon tour !

— Rassure-toi, mon petit. Certes, ceux qui savent ce qu'est l'amour parce qu'on leur a appris, et surtout parce qu'ils l'ont vu fleurir autour d'eux, souvent ne mesurent pas la chance qu'ils ont — s'ils sont fidèles — d'éviter erreurs et blessures ; mais crois-tu que l'arbre, quand il plonge en terre ses racines multiples, les plante toutes droites dans l'humus nourrissant ? Souvent elles s'égarent en des terres infertiles. Elles rencontrent des pierres qui cruellement les blessent. Elles tâtonnent dans la nuit, et quelquefois cheminent longuement avant de trouver enfin leur véritable nourriture. Mais si elles persévèrent fidèlement, leur arbre un jour fleurira et donnera son fruit.

Ainsi l'homme. Dans la nuit il se fait, et je crains pour l'adolescent qui n'a pas eu à combattre. Au premier coup de vent son arbre peut tomber. Mais celui qui lutte loyalement pour chercher la vie, sûrement la trouvera, car la Vie vient au-devant de lui sur les ailes de l'Amour, et l'Amour est « QUELQU'UN » qui jamais ne nous manque.

J'étais apaisé et non pas totalement rassuré. J'insistais.

— Mais tous mes échecs et mes erreurs, dis-je, ils demeurent en moi. Je les porte et les traîne. Ils ralentissent ma marche et, morceaux de vie gâchés, pourrissent en mon cœur.

Souvent, je m'efforce d'oublier. Mais comment pourrai-je nier le mal que je me suis fait et celui qu'aux autres j'ai fait ? Puis-je réparer mon cœur et les cœurs abîmés, mon corps et les corps que j'ai souvent blessés ?

— Il ne s'agit pas d'oublier, oh ! non, surtout pas oublier, s'exclama le Sage.

— Que puis-je faire alors ?

— Donner tout.

— Comment ?

— En acceptant d'abord de ne rien « enterrer » du passé, mais au contraire, de tout déterrer pour le regarder en face. La vie que tu as cru écrasée et réduite au silence, continue de survivre en toi. Si tu la méconnais, un jour elle se vengera.

N'aie pas peur, mon petit, de revivre les événements qui t'ont marqué, de nommer mal ce qui est mal, de mettre à nu tes blessures et celles que tu as infligées à tes frères. Tu ne peux donner, que ce qu'en tes mains tu portes.

— Donner à qui ?

— A celui qui est venu porter nos fardeaux : Jésus-Christ.

— Que peut-Il bien en faire ?

— Ce qu'on fait du bois mort : jeté dans le feu, de déchet inutile il renaît lumière et chaleur, pour ceux qui sont dans la maison.

Donne à Jésus-Christ tes erreurs et tes souffrances, son Amour brûle tout et redonne la Vie.

— C'est trop simple !

— Non, c'est très difficile, car *il est difficile de croire que l'Amour est plus fort que nos fautes.*

C'est pourtant là, le secret de notre vraie libération.

Me libérer du passé, je voulais bien essayer, mais à nouveau demain, comment réagirai-je ? J'en étais sûr, mes faims et mes soifs d'hier renaîtraient. Toujours aussi fortes, aussi désordonnées. Que pourrai-je faire pour les rassasier ? Après tout, était-ce moi qui avais fait mon corps, mon cœur, et mis en moi ces désirs fous qui me tourmentaient sans que je puisse en être maître ?

Secrètement — une fois encore — j'en voulais au Sage. Il « m'ouvrait les yeux ». Je « voyais » mes erreurs. Mais emporté par cette mystérieuse force qui venait d'au-delà de moi, me soulevait, me ballottait comme fétu de paille dans le cours d'un torrent, je savais que demain, je vivrais comme hier.

Que m'importait alors d'entrevoir la beauté de l'amour puisque je ne pouvais la vivre.

⁂

— Pourquoi donc est-ce si difficile d'aimer, m'écriai-je après un long silence ?

— Parce que aimer c'est unir, dit-il, et que le monde

autour de nous est éclaté en multitude de morceaux. Gigantesque puzzle qu'il nous faut reconstituer pour faire un univers. Milliards de membres épars qu'il nous faut ré-unir pour faire de l'humanité un grand Corps Total.

C'est une merveilleuse et difficile aventure, où deux énergies s'affrontent : une force de division, l'égoïsme et l'orgueil, une force d'union, l'amour. Au bout de l'égoïsme c'est la mort. Au bout de l'amour la vie. *Or cette lutte est en toi, comme elle est en moi et en tout homme,* et la valeur de nos vies se mesure à la force d'union que chacun de nous, nous introduisons dans le monde.

O monde en morceaux, monde inachevé,
Monde en gestation, qui se fait se défait.
Monde offert à l'homme pour que l'homme l'achève

Te voilà devant nous,
fiancé dès l'origine
pour que l'homme te conduise, aux noces éternelles.

Il faut que le fleuve pénètre la terre vierge, étendue, disponible, pour qu'elle devienne fécondable.

Il faut que le sillon, nourri de sueurs d'hommes, accueille la semence pour que naisse le blé.

Il faut que l'épi vert, caressé par le vent, se marie au soleil pour que mûrisse la moisson.

Il faut que le froment broyé, engrossé de levure, épouse la chaleur du feu pour que cuise le pain.

Il faut que corps et cœur d'homme s'unissent, pour que l'homme soit debout.

Il faut l'esprit de l'homme épousant la matière, pour que toute matière devienne servante de vie.

Il faut que grâce à l'homme, pierre et bois se marient pour que s'élève la maison,

Et que par lui le fer, le sable et le feu se rencontrent pour que le pont enfin réunisse les rives séparées.

Il faut que l'homme tende la main à l'homme pour que vive la fraternité et fleurisse l'amitié.
Il faut que le combat de justice, par l'homme s'ouvre à l'amour, pour faire éclore la liberté.
Il faut que l'homme, épouse la femme pour que naisse la Joie et l'enfant de la Joie.

Il fallait enfin, que Dieu soit trois, et que ces trois soient UN, pour que vive l'Amour en la Trinité Sainte.
Il fallait que Dieu soit « HOMME » pour que l'homme devienne dieu en devenant fils,
Et il faut maintenant que les hommes libres, fécondés par l'Esprit, se rassemblent en Église, pour ne faire qu'un seul Corps où circule la VIE.

Alors, tous ré-unis, univers, hommes et Dieu,
épousés dans l'Amour,
Nous ferons CIEL, et pour l'éternité.

***

O monde en morceaux, monde inachevé,
Monde en gestation, qui se fait se défait,
Malgré les convulsions de tes membres séparés,
Malgré les divisions, les combats et les chutes,
tu marches, irrésistible, vers l'Unité pour laquelle tu es fait,
Car au Grand soir de l'Histoire, Jésus cloué sur l'immense croix de ce Monde éclaté,
au cœur de son cœur, l'a recréé NOUVEAU,
Et moi petit et faible en cette immensité,
Indispensable membre de ce Grand Corps qui naît,
je m'offre pour faire l'Amour, avec le Monde qui attend.

Le Sage se tut.

Il se désaltérait de silence, comme l'orateur se rafraîchit d'une longue gorgée d'eau claire, après s'être brûlé les lèvres à la chaleur des mots.

Je me levai et partis sans rien dire. Je ne savais pas parler quand je ne savais pas quoi dire.

Le Sage était maintenant habitué à mes brusques départs. Il me souriait, et son sourire, je le savais, me disait « à bientôt ».

19

Ce soir-là, j'eus beaucoup de mal à m'endormir. Les souvenirs remués, remontaient en moi comme si une nouvelle vie les avait habités. Un instant, je regrettais de les avoir exhumés. Certains étaient si profondément enfouis que je les croyais morts. Pourquoi avoir libéré ces démons enfermés ?

Mêlées à mes regrets, des rancunes naissaient. J'en voulais à mes parents pour ce qu'ils m'avaient dit de l'amour, et plus encore pour ce qu'ils ne m'avaient pas dit. Je leur en voulais du spectacle qu'ils m'avaient offert de leur amour difficile et souvent orageux. J'en voulais à certains de mes éducateurs, à certains de mes camarades, et regrettais les multiples détours de mes recherches enfiévrées. J'en voulais à moi-même, si fier, il y a peu de temps encore, de mes nombreuses « conquêtes ». Elles m'apparaissaient aujourd'hui comme autant de défaites.

J'enviais les vrais croyants qui pouvaient se réconcilier avec eux-mêmes, avec leurs frères et avec Dieu. Mais décidément, je n'en étais point encore là. Aller dire mes misères à un prêtre me semblait impossible. Je les avais dites au Sage. Pourquoi ne pouvait-il pas me donner le pardon et la paix de son Dieu ?

Il fallait pourtant me désencombrer, me libérer. J'avais compris que ce qui en moi était enfermé, *vivait,* et vorace parasite, rongeait ma vie sans que je m'en aperçoive. N'était-ce pas pour cela, que si souvent anémié, je manquais de force pour me battre ?

Comme le Sage me le conseillais, je priais.

Je dis à Dieu :

Je Te donne mon passé Seigneur, puisque paraît-il, Tu le réclames.
Je te le donnerai, tant que mes souvenirs pourriront en mes caves.

Est-ce vrai que tu récupères tous les déchets, même ceux qu'on appelle péchés ?
Pour Toi dit-on rien est perdu, pourvu que l'on Te donne,
Et Tu restitues la vie à ce qui était mort.
Alors ouvre mon cœur, et mes deux mains fermées — même si elles sont sales — et prends tout.
Je te donne, même ce que je ne veux pas donner...

Je répétais cette prière habillée de ces mots-là, et de bien d'autres encore, mais ma prière hélas, une nouvelle fois, se heurtait douloureuse, au silence de Dieu.

***

Quand j'écoutais le Sage, j'admirais son discours et ne pouvais m'empêcher de croire en ses paroles.

Quand j'écoutais mon cœur, et plus encore mon corps, j'approuvais en sourdine leurs revendications.

Ils ne parlaient pas le même langage. Lequel avait raison ?

— Les deux me dit le Sage, quand je lui posais la question.

Je ne comprenais pas, et il le vit.

— Je t'expliquerai, dit-il. Il faut que tu comprennes…

Il poursuivit :

Il n'y a pas plusieurs vies mais une seule, et une seule Force au cœur de cette vie. Une Force d'union : « l'Esprit de Dieu qui depuis l'origine planait sur les eaux » (1)

Car voici quelques milliards d'années cette prodigieuse Énergie, qui mystérieusement, mais intelligemment, poussait quelques éléments épars de matière organique, à se rechercher, s'organiser, s'unir, pour qu'enfin VIVE la première cellule,
Est cette même Énergie qui, aujourd'hui, bouge, chante et crie dans la chair de l'univers, afin que celui-ci grandisse chaque jour.
C'est elle qui fait la racine, amante de la terre.
C'est elle qui fait l'épi de blé amoureux du soleil, et le soleil courtisan de l'épi.
C'est elle qui, à l'oiseau, fait franchir l'océan, pour y chercher sa terre et y creuser son nid.
C'est elle qui, des animaux, pousse irrésistible, le mâle vers la femelle.

Il n'y a pas plusieurs vies mais une seule,

Car voici quelques dizaines de milliers d'années cette même prodigieuse Énergie, *mit l'animal debout et releva sa tête.*
C'est elle qui lui ouvrit les bras pour qu'il saisisse et façonne la terre.
C'est elle qui incendia son corps à l'appel d'un autre corps.
C'est elle qui anima son cerveau pour qu'il puisse se connaître et connaître ses frères.
C'est elle qui, un jour enfin, fit battre son cœur devant la lumière naissante, à la frontière d'un regard.
Et c'est aujourd'hui encore cette même Énergie qui venant du fond des temps, traversant l'univers, et la multitude des hommes, *surgit en toi brutale,* comme une eau souterraine, qui jaillit impérieuse, cherchant à tâtons et son lit, et sa mer.
C'est elle qui fait naître ces multiples désirs qui si souvent te tourmentent et t'inquiètent tant ils sont puissants et si mal satisfaits
désirs d'air, d'eau, de soleil, et désirs de terre nourricière

(1) Genèse 1-, 2.

désirs de vivre et de grandir, et désirs de savoir, de connaître
désirs des autres à découvrir, et surtout ces merveilleux et troublants désirs de la femme
de ton cœur vers son cœur,
de ton corps vers son corps,
l'un et l'autre volant vers l'unité promise.

Il n'y a pas plusieurs vies mais une seule, et sa source est l'Amour de ton Dieu qui sans cesse engendre l'univers et l'humanité.
« Je suis la VIE dit Dieu », et moi je crois ce que Dieu dit.

*
**

Brusquement, je m'expérimentais debout au carrefour de cette vie. Elle n'était pas de moi, à moi, elle m'arrivait de loin. Elle m'animait comme elle animait tous les vivants, depuis toujours et aujourd'hui. J'étais uni à eux, embarqué avec eux dans la même Aventure.

Mais cette prodigieuse Énergie, me faisait toujours peur. Elle soufflait fort en mes voiles mal orientées, et moi, mauvais navigateur, depuis longtemps déjà je me précipitais, sur tous lcs récifs du voyage.

Silencieux, je réfléchissais. Mais le Sage, tout haut, continuait inlassable sa longue méditation. Il s'enflammait au fur et à mesure qu'il parlait, et c'est très fort qu'il me dit : c'est beau la vie ! Tu le diras à tes fils,

Tu leur diras que c'est beau

Tu leur diras avant qu'en eux, s'éveille le désir,
lorsque la vie coulera doucement en leurs veines paisibles,
Que cette vie venant de loin, en eux naquit un jour du désir de leur père et celui de leur mère quand leur cœur eut dit oui, à leurs corps s'enlaçant

Tu leur diras que c'est beau

Quand bourgeons éclatant sous la sève qui monte
Ils chercheront inquiets quels sont ces déchirements
Quand leur cœur, soudain trop froid, trop solitaire
Cherchera un autre cœur, qui ne soit cœur, ni de père ni de mère

Tu leur diras que c'est beau

Quand corps en peine, qui saigne d'une vie qui s'écoule,
Ils demanderont pour qui, pour quoi, cette vie dépensée, sans qu'elle donne la vie
Et quand explorateurs fiévreux, ayant visité l'île de leur corps et tenté d'en cueillir tous les fruits de plaisir,
Ils imagineront d'autres corps et rêveront d'abordages et de courses au trésor

Tu leur diras que c'est beau

Quand leurs pensées, leurs rêves et leurs nuits, seront brusquement illuminés par la lumière d'un visage,
et secrètement hantés par le galbe d'un corps,
Quand leurs doigts innocents tout à coup trembleront, et chercheront à vérifier s'il s'agit d'un mirage,

Tu leur diras que c'est beau

Quand les désirs en eux s'éveilleront un à un, comme un feu qui s'allume après une longue nuit,
Et qu'ils découvriront inquiets, mais tentés par la flamme, que du feu entretenu, peut naître un incendie,

Tu leur diras que c'est beau

… Le Sage se pencha vers moi et me saisit le bras. Il le serrait très fort en me dévisageant. Tu leur diras n'est-ce pas, tu leur diras, répéta-t-il. Tant et tant de jeunes n'ont personne pour leur dire. Ils cherchent à tâtons, ils se blessent, blessent l'autre, et tuent l'amour en croyant le trouver...

Tu leur diras que c'est beau

Parce que c'est en eux le fleuve de vie, accourant du fond des temps,
qui cherche son passage dans leur corps aujourd'hui, devenu trop petit
Parce que c'est le souffle d'Amour, venant de l'infini, qui fait battre leur cœur
et cherche un autre cœur pour battre au même rythme
Parce que c'est un jeune, ô merveille, qui devient source, et non seulement fleuve,
tandis qu'un homme naît quand s'efface l'enfant.
Et parce que, surtout, à travers ces mystérieuses faims de leur corps, de leur cœur,
qui tant les inquiètent en les faisant souffrir,
C'est le murmure de Dieu qui leur chuchote tout bas : « Je t'ai fait à mon image, enfant chéri de mon cœur,
Alors n'étouffe pas les désirs et toi, même s'ils te font peur,
tu étoufferais ma voix au creux de ces appels.
Écoute sans rougir. Pourquoi rougirais-tu ?
Écoute sans trembler. Pourquoi aurais-tu peur ?
C'est Moi qui t'appelle, même dans la tempête,

Embarqué avec toi, *je suis là pour t'aider.* »

Le Sage avait lâché mon bras. Il s'était redressé. Parlant de Dieu, il avait clos les yeux. Je savais que c'était pour mieux « Le » retrouver. Je savais aussi, que même les yeux fermés, le Sage VOYAIT. Il voyait ce que je ne voyais pas.

N'était-ce pas cela, la contemplation ? Quelqu'un qui découvre l'au-delà des choses, des personnes, des événements, comme un homme qui verrait en la terre les racines de l'arbre et la sève dans les racines, et les sucs dans la terre, et les fleurs de demain, et au cœur de cette vie le mystérieux amour qui appelle et veut la moisson triomphante.

Oui, le Sage voyait l'au-delà tandis que je n'étais qu'à la surface des choses. Et moi, homme inachevé, je n'étais qu'un enfant aux yeux mi-clos qui péniblement découvre le monde qui l'attend.

Le Sage murmura à nouveau, mais cette fois se parlant à lui-même : « Que c'est beau ! » Puis il continua de la même voix basse et lente :

O oui ! Combien est beau un jeune qui lentement s'ouvre à l'amour,
et qui tâtonne et qui cherche son chemin dans la nuit !
Quelle est belle la démarche des garçons et des filles qui s'observent, s'approchent
et se touchent, tentant de se connaître et de se reconnaître,
Invités de toujours à l'union, pour l'enfant désiré !
Pourquoi ne voir d'abord que leurs faux pas, leurs erreurs et leurs chutes ?
Pourquoi sourire, rire ou condamner, alors qu'il faudrait admirer, célébrer, remercier, *pour ensuite pouvoir, sainement orienter ?*

... Mais qui suis-je ô mon Dieu, pour me vouloir ainsi le chantre de l'amour ! Ne devrais-je pas me taire !...

Puis le Sage se tourna vers moi : Quand tu comprendras enfin, qu'en l'amour brille l'infinie beauté de Dieu, car il est en l'homme son vivant reflet, alors tu pourras dire à tes fils, qu'elle est magnifique leur recherche de jeune,
et, tu pourras, mais alors seulement,
non pas leur dire : « c'est interdit » ici, et puis « interdit là » mais que l'Aventure est tellement belle,

qu'il ne faut rien gâcher
qu'il ne faut rien salir

et qu'*aimer est très difficile, car c'est une longue bataille d'homme qu'il leur faudra gagner*.

20

Ainsi, c'était beau, et je ne le savais pas.

Ce n'était pas honteux d'avoir faim et de chercher dans la nuit sa nourriture. Mais je le pressentais maintenant, c'était abîmer l'homme que de laisser ses désirs se nourrir n'importe quand, n'importe comment.

Certes, il m'était arrivé quelquefois de comprendre — non pas seulement parce que le Sage m'y avait aidé, mais parce que je l'avais moi-même expérimenté — qu'au-delà de mes faims de corps, et même celles de cœur, je cherchais inconsciemment une nourriture plus substantielle que celle que m'offraient les plaisirs passagers. Ainsi, certains jours, devant une fille au regard limpide, malgré la tyrannie de mes désirs et les moqueries de mes amis, mes doigts et mes lèvres devenaient subitement timides et sages. C'est que mon cœur me murmurait tout bas : « Pas avec elle. »

Pourquoi pas ?

Comment pouvais-je deviner, puisque personne ne m'avait expliqué que dangereusement penché au bord de certains yeux clairs, comme fenêtres ouvertes sur des horizons infinis, l'étrange lumière que j'entrevoyais alors, n'était autre que le sourire de Dieu m'invitant à briser les chaînes de mes prisons pour partir à l'Aventure, loin, très loin, sur d'autres chemins que mes chemins sans issues.

Aujourd'hui je savais — ou je croyais savoir — et décidais de me mettre en route.

Sur les multiples sentiers de mes riches découvertes, je ne m'arrêterai plus.

*
**

Le Sage me connaissait. Il savait qu'il y avait en moi quelque chose du cheval fougueux, que trop longtemps on avait tenu attaché, captif en l'écurie. Enfin libéré, mon Ami avait peur que je ne m'emballe.

— Ne rêve pas mon petit, dit-il. Certes, je te le répète et le répéterai, rien n'est plus beau qu'un jeune qui, un à un, brise les fils de son cocon et s'exerce à voler sans savoir où il vole. Il ignore qu'il cherche celle qui lui offrira enfin un VISAGE à l'amour. Mais la route est longue qui le conduit à la Rencontre. Elle est plus longue et plus dure encore, mais plus belle, celle qui mène les amants réunis s'ils sont fidèles, jusqu'au sein de l'AMOUR infini, que les hommes appellent ciel.

On n'a jamais fini d'aimer. Il faut apprendre chaque jour.

— Enseignez-moi le chemin, dis-je et je m'y engagerai avant d'y engager mes fils.

— Il faut d'abord de toi, faire un homme, mon petit.

— Mais je le suis, répliquai-je vivement et quelque peu blessé.

— Pas encore. Car un homme naît en toi mais n'est pas achevé.

— Que dois-je faire pour l'achever ?

— La vie que tu reçois des autres, du monde, de Dieu, doit devenir « ta » vie. L'animal lui aussi, reçoit la vie, mais contrairement à l'homme, il n'a aucune part dans sa propre création. *Tout* en lui est programmé et son instinct le guide.

Tes parents t'ont fait petit enfant, mais c'est toi qui peu à peu te fait homme en intégrant toutes tes forces vives, en les développant, en les unifiant et en les orientant. Ainsi le fleuve doit se nourrir de sa source et de ses affluents. Son cours très vite se tarit si son eau lui échappe. Plus tu seras riche et maître de ta vie, plus tu seras un « homme » et pourras dire : « je » pense, « je » parle, « je » fais, et libre, « je » viens vers toi, mon amour que « j »'aime.

Mais peu d'hommes, hélas, sont riches de leur vie.

— Pourquoi ?

— Parce que certains la gardent en eux, captive. Elle leur fait peur. Quelquefois même ils la méprisent. Elle devient alors eau dormante, qui pourrit et qui meurt au fond de puits abandonnés.

D'autres la laissent échapper. Elle est plus forte qu'eux et coule entre leurs doigts sans qu'ils puissent la retenir. Elle se perd dans les sables, et par elle rien ne pourra pousser.

D'autres enfin, pensent, que la vie en eux accueillie, doit être libérée. A leur corps, leur cœur, leur esprit, ils ouvrent toutes grandes les portes de chez eux. Ils disent : vous êtes libres ! Allez, vivez et cueillez tous les fruits de plaisir, comme vous le souhaitez, quand vous le désirez, comme vous le voulez ! Mais leur fleuve sans lit, sans rive, encore moins sans barrage, sans canaux, sans écluses, devient vite fleuve asséché, au lit de pierres sèches.

Pauvres hommes qui pensaient être libres, mais qui sont dépendants. Ils courent après la vie. Elle leur échappe de toutes parts. Ils s'épuisent et végètent, et quelquefois en meurent.

Qui peut vivre sans vie, mon petit, et qui peut aimer s'il n'a rien à donner ?

Qui peut pour un autre à son orchestre faire chanter, la chanson de l'amour, si chaque instrument veut jouer à son gré, sans vouloir de partition et moins encore de chef ?

Je te le dis, il faut être homme debout, riche et maître de soi, pour pouvoir essayer d'aimer.

— Mais aimer, dis-je, ne se commande pas : c'est une force qui nous pousse et nous attire, et nous n'y pouvons rien.

— Tu te trompes mon petit.

L'amour n'est pas éblouissement de la beauté
devant un visage soudain qui s'éclaire pour toi,
Car la véritable beauté est le reflet de l'âme,
Mais l'âme est au-delà, que tu cherches en tremblant.

L'amour n'est pas séduction d'une intelligence vive et déliée,
qui coule dans des mots, des idées pour te plaire,
Car l'intelligence peut briller de mille feux,
sans être authentique diamant, caché aux profondeurs de l'aimé.

L'amour n'est pas l'émotion devant un cœur qui bat pour toi, plus qu'il ne bat pour d'autres,
Et cet émerveillement d'être choisi, élu, sans raisons à tes yeux,
qui valent cette folie,
Car un cœur peut un jour s'émouvoir pour un autre,
et te laisser saignant, pleurant, sans que meure ton amour.

L'amour n'est pas envie de capter, de saisir, l'objet de ton désir,
qu'il soit cœur, corps, esprit ou tous trois à la fois,
Car l'autre n'est pas « objet » et si tu prends pour toi, tu manges et tu détruis, et *c'est toi* que tu aimes, en croyant aimer l'autre.

Éblouissement et séduction, faims et frissons, émotions et jaillissement de désirs,
tout cela est beau et nécessaire, en l'homme, en la femme,
mais seulement *pour aider à aimer,* qui accepte d'aimer.
C'est la porte entrebâillée, et les fenêtres grandes ouvertes,

C'est le vent qui s'engouffre,
C'est l'appel du large, et le murmure de Dieu,
qui invitent à sortir de ta maison fermée,
Pour aller vers un autre que tu as choisi de combler de ta vie,
Parce que tu l'aimes et que *tu veux* aimer.

Car aimer, mon petit :

C'est *vouloir* l'autre libre, et non pas le séduire,
et de ses liens le libérer, s'il demeure prisonnier,
Afin que lui aussi puisse dire : « je t'aime »,
sans y être poussé par ses désirs indomptés.

Aimer, c'est entrer chez l'autre, s'il t'ouvre les portes de son jardin secret,
bien au-delà de ses chemins de rondes, et des fleurs et des fruits cueillis sur ses talus,
Là où émerveillé tu pourras murmurer : c'est « toi » mon chéri, et tu es mon unique.

Aimer, c'est de toutes tes forces vouloir le bien de l'autre, avant même le tien,
et tout faire pour que l'aimé grandisse, et puis s'épanouisse,
Devenant chaque jour l'homme qu'il doit être
et non celui que tu veux modeler à l'image de tes rêves.

Aimer, c'est donner ton corps et non prendre le sien,
mais accueillir le sien, quand il s'offre en partage,
Et c'est te recueillir, t'enrichir, pour offrir à l'aimé
plus que mille caresses, et plus que folles étreintes,
Ta vie tout entière rassemblée, dans les bras de ton « je ».

Aimer, c'est t'offrir à l'autre, même si celui-ci un moment, se refuse,
C'est donner sans compter, ce que l'autre te donne,
en payant le prix fort, sans jamais réclamer ta monnaie.
Et c'est, suprême amour, par-donner, quand l'aimé, hélas se dérobe,
en tentant de livrer à d'autres, ce qu'il t'avait promis.

Aimer, c'est dresser ta table et la garnir pour y asseoir ton hôte,
mais sans jamais te croire suffisant, pour te passer de lui.

Car privé de la nourriture, que lui-même t'apporte,
à ton repas de fête tu n'offriras,
que pain sec de pauvre, et non menu de roi.

Aimer, c'est croire en l'autre et lui faire confiance,
croire en ses forces cachées, en la vie qui l'habite,
Et quelles que soient les pierres à dégager pour aplanir la route,
C'est *décider* en homme *raisonnable,* de partir courageux sur les chemins du temps,
non pour cent jours, pour mille, ni même pour dix mille,
Mais pour un pèlerinage qui ne finira pas, car c'est un pèlerinage qui durera TOUJOURS.

Aimer, je dois le dire, pour purifier tes rêves, c'est accepter de souffrir, de mourir à soi, pour vivre et pour faire vivre,
Car qui peut pour un autre s'oublier, sans souffrir,
Et qui peut renoncer à vivre pour lui-même,
sans que meure en lui, quelque chose de lui.

Aimer, enfin, c'est tout cela et beaucoup plus encore,
Car aimer c'est t'ouvrir à l'AMOUR infini, c'est te laisser aimer,
Et transparent à cet AMOUR qui vient, sans jamais te manquer,
C'est, ô sublime Aventure, *permettre à Dieu d'aimer, celui que toi, librement, tu décides d'aimer.*

***

Si c'est cela aimer, pensai-je, comment pourrai-je y parvenir ?

J'étais découragé. Et comme un débutant au pied de la montagne, qui contemple et admire les sommets, se croyant incapable de les escalader, j'étais tenté de camper dans la vallée.

Je n'avais pas encore compris, malgré ce que m'avait répété le Sage, que ce qu'il m'enseignait de l'amour, *était un but à atteindre,* et non un point de départ, et que pour tenter d'y parvenir, il fallait lutter tout le temps d'une vie.

Je voulais tout, tout de suite, là était mon erreur. Il me faudrait accepter d'adopter le pas lent et régulier, de l'authentique montagnard.

21

Je réfléchissais.

Je priais.

C'est vrai. Aimer, c'était pour moi jusqu'alors, sentir, ressentir, et je mesurais la valeur de mes amours à l'intensité de mes émotions et la violence de mes désirs.

Je croyais aimer davantage une fille, quand en moi le feu qu'elle allumait y brûlait plus fort et plus longuement que les feux précédents. Ceux-ci s'étaient éteints lentement, à bout de nourriture, ou brusquement, comme si, un autre plus loin subitement allumé, avait mystérieusement ravi toutes leurs flammes.

Je ne m'occupais plus des cendres quand elles fumaient encore, arrosées par quelques larmes de filles abandonnées. Je m'étonnais seulement que ces filles puissent pleurer, tandis que je me réchauffais déjà près d'un autre foyer.

Une fois cependant, je m'en souviens encore, c'est moi qui versais quelques larmes sous un sourire humide. J'étais blessé, et j'accusais mon amour de ne pas avoir su m'aimer.

Elle devait m'aimer, pensais-je, puisque moi je l'aimais.

De ces expériences — certaines pour « m'amuser » et d'autres que je tentais de croire ou d'espérer « sérieuses » — je concluais, qu'il était impossible aux amours de durer, et donc qu'il était fou de vouloir s'engager, puisque c'était la loi du feu, que de se consumer.

Et pourtant j'attendais, espérant tout de même, que peut-être un jour, ô mystérieux miracle, un amour se présenterait qui serait différent.

J'avais rencontré quelques vieillards, qui tremblants et souriants, s'aimaient encore tout au bout de leurs ans. Aimer toujours n'était donc pas impossible ?

J'attendais. Sans savoir. Sans comprendre. Sans rien faire d'autre, que d'essayer encore.

***

Aujourd'hui, le problème était différent.

Je réalisais avec stupeur que lorsque je croyais aimer, c'était moi, en fait, et *moi seul que j'aimais.* Cette bouleversante révélation m'humiliait et me faisait trembler. J'étais engagé sur une mauvaise route.

Si je voulais aimer authentiquement, il me fallait accepter de changer de chemin.

C'était une véritable conversion qui m'était demandée.

Je m'aimais. Ce n'était certes pas mal. Le Sage me l'avait fait comprendre. Mais je m'aimais au point de ne pouvoir aimer les autres, car d'eux, *je me servais* pour m'offrir les petits bonheurs qu'avidement je recherchais.

J'aimais « les filles » comme « j'aimais les cigarettes » que je désirais, prenais, consommais en partie, puis rejetais quand en fumée je les avais réduites.

J'avais envie qu'on m'aime. A mes amies d'un moment, sans trop y croire je disais « je t'aime », pour m'entendre répondre : « je t'aime moi aussi ». Et s'il y avait un peu d'amour vrai dans ces réponses maladroites, je le saisissais *pour moi,* car j'aimais être aimé.

J'étais seul, et je cherchais une présence pour briser ma solitude. Je désirais parler, et cherchais quelqu'un qui patiemment m'écoute. Et quand je n'avais plus rien à dire à mes amies, j'aspirais aux bruits de leurs mots pour combler mes silences.

Mon corps avait besoin de tendresse, de plaisirs, et je dressais des plans pour capturer un corps dont les caresses et les baisers, puissent un moment me rassasier. Et si un corps s'offrait parce que lui aussi avait faim, je me réjouissais de pouvoir en user sans combattre, et je me repaissais de ce repas gratuitement servi.

Bref, je le répète, *je m'aimais* plus que tout et l'histoire de mes « conquêtes » avantageusement racontées n'étaient que celles de mes ruses pour obtenir ce que je désirais.

Certes, quelquefois, je l'ai dit, ma partenaire était consentante. Elle me désirait quand je la désirai. Nous tentions alors de nous piller l'un l'autre. C'était deux égoïsmes, qui pour quelque temps correspondaient et se faisaient complices.

Et nous appelions cela « amour » en le croyant parfois.

***

Ainsi je méditais longuement, en m'étonnant encore, que toutes ces erreurs aujourd'hui m'apparaissaient clairement.

Comment avais-je pu à ce point me fourvoyer !

Je comprenais maintenant que mes désirs étaient beaux et sains, quand de mon corps et mon cœur ils s'évadaient tout neufs. Je n'avais pas à en rougir m'avait dit le Sage. Mais ils étaient sauvages et livrés à eux-mêmes. Comme chevaux indomptés ils couraient follement dans les prés de ma vie. Quelquefois je tentais de les rattraper, mais très vite je m'épuisais. Ce sont eux qui m'entraînaient. J'étais à leur merci. Il fallait les capturer, les dresser, afin qu'ils deviennent pour moi, montures robustes qui me conduisent là où je décidais d'aller.

***

J'avais parlé très longuement et le Sage, ce jour-là m'approuva pleinement. Son visage était joyeux comme celui du paysan qui observe paisible, la moisson mûrissante.

— Tu as raison me dit-il, l'homme est esclave, si ses désirs le dominent. Mais si, les accueillant, peu à peu, il en devient le maître, alors il peut *choisir,* et *décider* librement.

L'homme ne naît pas libre. Il conquiert sa liberté. Et comment pourrait-il dire « je t'aime » s'il était forcé d'aimer ?

— Je me battrai, dis-je, pour me libérer, et de moi devenir maître.

— Tu ne seras pas encore au bout de tes peines, mon petit. Car aimer n'est pas en l'homme la possibilité de choisir ce qu'il veut « prendre », mais la grave décision de « donner » ce qu'il veut donner, à qui il veut donner.

Il faut donc, quotidiennement, lutter, pour *transformer ton désir de prendre en la volonté de donner* et parallèlement, *d'accueillir* ce que l'autre décide de t'offrir.

— Une fois encore, j'hésitais à comprendre. Où est l'amour, dis-je, s'il faut faire ainsi tant d'efforts pour aimer ?

— Ce sont ces efforts qui font l'amour vrai.

— Mais il faut alors, s'oublier, se nier totalement ?

— Non, au contraire, je te l'ai dit. Il faut accueillir toute ta vie, l'unifier l'enrichir et l'épanouir au maximum pour pouvoir la donner. Et la donner n'est pas la perdre, mais la trouver, comme le grain qui, généreux, s'offre à la terre et se retrouve épi.

La jeune fille que tu rencontreras sera ton champ et tu seras le sien. Et votre moisson sera ce que seront votre semence et la fertilité de votre terre.

— C'est beau, murmurai-je rêveur, mais qui peut aimer ainsi comme on devrait aimer ?

— Personne.

Dieu seul aime parfaitement mon petit, car Il est *tout don* et *tout accueil.* Et son don est infini, comme infini son accueil. C'est pour cela qu'Il n'est pas seulement Celui qui aime plus que tous, mais qu'*Il est l'AMOUR.*

Mais nous, nous ne sommes pas Dieu seulement image de Dieu, et nous devons de nous, peu à peu, dégager cette image. Ainsi le sculpteur, de la pierre brute, fait surgir la statue qui l'habite et l'attendait pour naître.

O grande, O merveilleuse et difficile Aventure de l'Amour,
Unique vocation de l'homme,
hors de laquelle, pour lui, il ne peut être de bonheur et de repos éternel,
Puisque pour l'accomplir, il est depuis toujours pensé, en la tendresse de Dieu.

Puisse ton souffle d'Amour, O Père, qui sans cesse me fait,
comme la mère en son ventre, de sa vie fait l'enfant,
M'aider à être un peu plus Toi, en étant Moi, chaque jour davantage,
tout entier tourné vers les autres, pour leur offrir ma vie en recevant la leur.

— Ami, dis-je, c'est donc en aimant authentiquement les autres que je deviendrai moi-même ?

— Oui, mon petit. Mais c'est aussi en aidant les autres à

aimer, car tu es membre d'un grand corps qui grandit avec toi. C'est pour cela que je t'ai dit dès nos premières rencontres : « engage-toi au service de tes frères ».

L'aurais-tu déjà oublié ?

22

Je n'avais rien oublié. Apprendre à aimer « une fille », c'était apprendre à aimer tous mes frères. Le Sage, une fois de plus m'avait renvoyé vers « les autres » mais moi, je pensais à « une » autre. Je la cherchais. Je l'attendais. J'avais peur de rater la Rencontre. Car si je commençais de croire que pour toujours, unir dans l'amour, sa vie à la vie d'une fille, était chose possible, j'étais sûr maintenant que c'était en effet Aventure magnifique, mais, ô combien difficile !

Et pourtant, tout à coup je pensais : n'est-ce pas folie de l'homme, aujourd'hui, de rêver de bâtir un monde de justice et de paix alors qu'il semble de moins en moins capable de bâtir un foyer ?

De comprendre cela renouvela mon ardeur, car je voulais servir. Et au Sage ce jour-là je posais brusquement ma question :

— Ami, comment puis-je faire pour me préparer à aimer « une » fille ?

— En aimant tes frères, je te l'ai dit, puis en pensant à « elle » et en l'aimant déjà.

— Mais comment puis-je l'aimer, puisque je ne la connais pas ?

— La mère ne connaît pas son enfant, mais le porte déjà.

Il poursuivit : Ce qui est vrai pour un enfant, est vrai pour ton amour.

« Elle » de son côté se prépare, je l'espère pour toi, et votre vie d'aujourd'hui est déjà votre vie de demain. Crois-tu qu'en un instant tu aimeras quand tu diras : « je t'aime » ? C'est chaque jour, que naît ton amour pour elle. Chaque jour il grandit.

Tu ne « lui » offriras que les fruits de ton arbre.

Pense à elle mon petit. Vis pour elle, mais je te le répète encore, *en vivant pour tes frères.*

Pense aussi à ses sœurs, les jeunes filles de ton chemin. Tu fais route avec elles. C'est un merveilleux voyage que vous faites ensemble. Vous ne le referez pas.

Vous pouvez vous connaître, vous estimer, vous aimer et *vous préparer les uns les autres* pour vos durs et beaux voyages de demain. Mais vous pouvez aussi vous blesser et grandement vous affaiblir, insouciants et avides, en jouant ensemble à l'amour avant même de savoir aimer.

Va vers elles, et parle :

O filles jolies, de mes voyages gris,
je vous le dis, j'ai grand besoin de vous,
pour que naisse de moi, étonné, l'homme que vous désirez.
Car pour moi, vous pouvez être mères, avant que d'être épouses,
en me donnant la vie que je vous redonnerai.

O filles jolies, de mes voyages gris,
Connaissez-vous votre pouvoir ?
Vous qui passez, innocentes ou perverses, sur mes routes quotidiennes,
senteurs de printemps, sous mes fenêtres closes,
énivrantes musiques, pressantes invitations au bal du bonheur,
fruits dorés pour ma bouche asséchée,

sources rafraîchissantes pour mes fièvres nocturnes,
soleils levants, caresses de rayons tendres, pour mon cœur qui frissonne,
corps souples, vagues ondulantes, écumes de vos cheveux, pour m'y plonger avide.

O filles jolies, de mes voyages gris,
Vous m'éveillez, brutales et matinales, de mon sommeil d'hiver.
Vous me forcez à sortir de chez moi, chambre close pour mon confort, si bien aménagé.
Vous déliez prestement mes doigts neufs d'enfant,
Vous ouvrez mes yeux, les détournez de moi,
Et vous m'entraînez, ô filles d'Ève, appas irrésistibles,
vers un lointain et mystérieux ailleurs, ou vous possédez, dites-vous, un trésor inviolé...

O filles jolies, de mes voyages gris,
Dites-moi donc,
Quel est votre secret ?
Où me conduirez-vous ?
Que me donnerez-vous ?

Vous pouvez, arrachant les fleurs de vos prés, me les tendre de loin, pour me faire marcher, m'obliger à courir,
Vous pouvez m'attirer sur vos champs de pâtures, loin de ma maison natale et de mes vieux parents,
Car vous savez, n'est-ce pas, trop savantes dompteuses, que pour vous suivre je franchirai d'un bond les plus hautes clôtures,
Et sans crainte de me déchirer aux barbelés des champs,
sans écouter les soupirs d'une mère trop inquiète,
piétinant les terres de mes belles idées, celles de mes décisions et mes résolutions,
arrachant un à un mes vêtements du dimanche, propres et repassés,
Je courrai,
Je volerai,
nu,
pour vous saisir enfin, vous coucher dans les blés verts,
en écrasant le grain qui attendait le pain.

*
**

O filles jolies, de mes voyages gris,
qu'avez-vous fait de moi ?
Vous le saviez pourtant qu'en mon cœur sauvage, les herbes folles y poussent étouffant l'herbe sage,
Car de mon jardin secret, hélas, je suis trop souvent un mauvais jardinier.
Vous saviez que le bois mort s'entassait chaque jour, dans ma besace trop lourde, de pèlerin égaré,
Mais parce que vous désiriez la chaleur du brasier, et la lumière un instant de la flamme allumée,
Vous avez d'une étincelle folle, à mes mirages mis le feu, en incendiant mes rêves.

O filles jolies, de mes voyages gris,
Que reste-t-il du foyer allumé ?
Quelques branches calcinées, qui plus jamais ne porteront de fruits.
Un goût de cendre noire, en nos bouches refroidies.
Et vous avez brûlé vos ailes, papillons d'un été, qui si vite et si haut, pouvaient vous entraîner,
Tandis que de moi, vous n'avez eu qu'un cri, et non pas ma chanson.

*
**

O filles jolies, de mes voyages gris,
j'avais besoin de vous.
Non de vos dons de pyromanes, dangereuses « allumeuses » de mes soirs d'été,
mais de votre infinie douceur, rosée bienfaisante aux matins de mes rudes journées.
J'avais besoin de votre source pure, pour arroser mon arbre,
et non de vos tempêtes pour en casser les branches.
J'avais besoin de la lumière qui distille vos yeux,
pour effacer les ombres qui me cachent le jour.

J'avais besoin, je l'avoue, que vous me disiez non, quand de toutes mes forces, je recherchais le oui.
J'avais besoin d'un non qui ne soit pauvre non, timide, effarouché, ni d'un non de dégoût, ni d'un non triste mine,
Mais d'un non souriant, rafraîchissant comme une brise, qui me donne tout bas, l'envie...
— car tout haut je ne saurais l'avouer, tant je suis orgueilleux —
Qui me donne l'envie *de vous respecter,* filles jolies,
Envie de croire que l'amour est une trop belle fleur, pour qu'elle soit piétinée,
Quand pour notre plaisir seul, on tente de l'arracher.

⁂

O Jésus, mon Dieu, Toi qui a su si fort aimer,
Aujourd'hui je te confie, les filles jolies de mes voyages gris.
Accompagne-les sur leur route et quand nos chemins se croiseront
Aide-les à nous donner, garçons, ce que plus que tout autre elles peuvent nous donner :

l'envie de sortir de chez nous plutôt que de nous enfermer
l'envie de nous oublier plutôt que de penser à nous
l'envie de nous dépasser plutôt que de stagner
l'envie de donner plutôt que de toujours chercher à prendre

parce que vous êtes jolies, filles de nos voyages gris,
et que vous pouvez *nous apprendre à aimer.*

23

Et pour « elle » ? Vous ne m'avez pas encore dit, Ami, comment penser à « elle » et prier pour « elle » !

Le Sage ne répondit rien. Je ne comprenais pas pourquoi il s'entêtait à laisser ma question sans réponse. Il me parlait « des autres », puis des filles de mon chemin. Mais « elle » ? Celle que j'attendais. Ne m'avait-il pas dit qu'il fallait déjà y penser !

Il réfléchissait. Paraissait hésiter.

Brusquement il se leva. Je le suivis des yeux. Il se dirigea vers une grande armoire que j'avais souvent regardée, car je la trouvais belle. Merveilleusement sculptée, elle me parlait du travail des artisans anciens.

— C'est l'armoire de mes arrière-grands-parents, me dit le Sage avec une pointe de fierté.

Il l'ouvrit. Chercha quelques instants et revint vers moi, portant avec précaution une espèce de coffret de bois qui me parut lui aussi, dater d'un très bel âge. Il en sortit une liasse de papiers et dénoua soigneusement le cordon qui les retenait prisonniers.

Tout en cherchant une feuille il me dit : « J'ai moi aussi longtemps peiné avant de découvrir une route. Je me suis heurté aux obstacles des chemins sans issue et... » Il hésitait encore, et c'est presque tout bas qu'il termina sa phrase :

« ... moi aussi j'ai souvent blessé les autres en me blessant moi-même ! C'est pour cela que je crois te comprendre et que je voudrais tant t'aider ».

Puis il soupira et dit encore : « En aimant mal, nous nous faisons beaucoup de mal les uns aux autres !... »

Il y eut un silence. Le temps pour moi de me réjouir de cet aveu du Sage. Non pas parce que je triomphais de découvrir que lui aussi avait été faible, et peut-être le demeurait, mais de trouver enfin une réponse à mes lancinantes et tenaces objections, lorsque l'entendant parler si bien de l'amour, je me disais, sans oser le lui dire : « S'il savait ce que c'est de chercher, de tomber, il ne parlerait pas comme il parle ! »

Ainsi, il savait. Et ses paroles brusquement prenaient une valeur étrange. C'est qu'elles étaient riches de vie.

Mon Ami avait soigneusement refermé le coffret. Il tenait maintenant en ses mains une feuille pliée. Il l'ouvrit et je m'attendais à ce qu'il lut tout haut le texte qu'il paraissait parcourir des yeux. Mais brusquement il replia la feuille et me la tendit. Je vis qu'il était ému.

— Va mon petit, dit-il. Prends-là !

J'hésitais, subitement timide, car je sentais que le Sage m'introduisait ainsi dans son intimité.

— Prends, dit-il encore. Moi aussi j'ai eu peur de rater la Rencontre, et c'est un soir de luttes, que pour « elle », j'écrivis ces quelques lignes, pour m'aider à prier. Ce sont mes mots. Je te les prête. Je te les donne. Mais oublie-les très vite, pour y mettre les tiens. Ainsi celui qui sait, entonne la chanson pour que l'autre hésitant, puisse continuer la sienne.

***

Il était tard, mais en rentrant je lus.

O mon bel amour inconnu,
tu respires et tu vis
quelque part, loin de moi, peut-être près de moi...
Mais des traits de ton visage, je ne connais la grâce
Et des doigts et des fils qui ont tissé ta vie,
je ne saurai rien, tant que de toi je n'apprendrai
la trame et les nœuds, qui en ont fait la toile.

O mon bel amour inconnu,
je voudrais que ce soir, tu penses à moi, comme je pense à toi,
Non en un rêve doré qui ne serait pas moi,
Mais dans la longue nuit acceptée, de ton cœur impatient,
Car j'existe moi aussi, et je suis VRAI,
et tu ne peux m'inventer sans me défigurer.

O mon bel amour inconnu,
je t'aime sans visage,
Pour toi, de toute ma force maintenant
je veux m'enrichir pour pouvoir t'enrichir,
Et sans cesse je m'entraînerai à donner, en évitant de prendre
Car lorsque tu paraîtras, attirante à mes yeux,
Je ne veux pas te ravir, comme un voleur qui vient,
mais t'accueillir comme un trésor offert,
Car le trésor sera TOI, et tu te donneras.

O mon bel amour inconnu,
me pardonneras-tu demain...
Quand contre moi confiante, tu te tiendras blottie,
Quand ton regard naviguera, dans le ciel de mes yeux,
y visitant un à un les plus lointains nuages,
Me pardonneras-tu d'être celui qui trop connaît, hélas, les gestes de l'amour,
Moi qui les ai appris avec d'autres que toi, et qui pour toi, aujourd'hui, voudrais tant désapprendre.
Car je sais maintenant combien il serait beau,

que nous cherchions et nous trouvions ensemble
Les accords justes et riches qui de nos vies accompagneront les chants,
les chants de joie comme les chants de peine.

O mon bel amour inconnu,
ce soir je prie pour toi, parce que tu existes et que pour toi déjà je veux être fidèle,
parce que tu peines toi aussi, et peut-être pour moi.
Je me prépare, tu te prépares, et demain, de toutes mes forces je le souhaite,
je serai ton soleil et tu seras ma source,
je te réchaufferai et tu m'abreuveras,
Nous grefferons nos corps pour une vie nouvelle, et nous donnerons au monde, ce dont il a besoin,
Le poids de notre amour, qui sans nous lui manquerait.

Mais mon bel amour inconnu,
il faut attendre encore,
et combien douloureuse est l'attente de nuit des amants sans visages !
Mais je sais que nos deux vies, se cherchent et s'appellent
Et je suis sûr maintenant qu'au creux de nos désirs nocturnes,
chante dans la Lumière, le désir de Dieu.

Notre Père qui est aux cieux nous regarde, mon amour,
et de toute éternité, je le crois, nous aime en murmurant :
« s'ils le veulent demain
ils ne feront plus qu'UN »

C'est son rêve de Père
Ce sera notre *décision* de fils

***

J'étais profondément ému, et comprenais l'émotion de mon Ami.

La prière était très belle, mais j'hésitais encore à la faire mienne. Étais-je assez intime du Sage pour me permettre ainsi de revêtir les vêtements de son cœur ? Je ne connaissais rien de lui.

Avait-il rencontré l'inconnue de sa prière ? Avait-il vécu un bel amour ? Me poser ces questions me paraissait presque indiscret. A quoi bon d'ailleurs puisque j'avais décidé de respecter son mystère.

J'attendrai.

24

J'osais maintenant, c'était une victoire, parler avec mes amis de mes recherches et de mon aventure. J'avais eu beaucoup de mal. Car lorsque nous étions ensemble, nous cherchions surtout à nous distraire follement.

Nous n'y parvenions guère et cultivions l'ennui.

Quand quelquefois nous nous lançions dans de grandes discussions, c'était pour parler des autres, de la société, des événements, du monde, mais rarement de nous, et de nos questions d'hommes.

En fait, nous cheminions solitaires, nous saoulant du bruit de nos rires et de nos mots.

Un jour à des filles, je tentais de dire ce que j'attendais d'elles. Ce qu'elles pouvaient m'offrir, ce qu'elles pouvaient en moi détruire. J'avais médité les paroles de mon Ami. Elles exprimaient parfaitement ce que je vivais et ce que je ressentais.

La réaction fut violente. Non seulement mes amies se défendirent, mais elles m'attaquèrent en fustigeant « les garçons ». Vous nous chargez, disaient-elles, de tous les péchés du monde. C'est facile ! Or, c'est nous, trop souvent, qui sommes vos victimes. Vous vous attribuez tous les droits, et il nous faut sans cesse nous défendre de vous, dominateurs orgueilleux, qui nous voulez pour votre seul plaisir.

A mon tour je me défendis. Mal. J'étais seul, et ne sus pas leur exprimer le fond de ma pensée. Elle était encore trop neuve. Je ne l'avais pas assimilée, et une certaine pudeur paralysait mes mots.

Était-ce entre nous une simple querelle d'adolescents attardés ? Peut-être dans la forme, mais non pas dans le fond.

Je battis en retraite, car je pensais que ces filles avaient raison de se plaindre. Mon expérience, hélas, confirmait mon jugement.

Quelque peu désemparé, j'en parlais à mon Ami.

***

Il me dit :

— Nous ne pouvons pas tout exprimer en même temps, mon petit. La réalité est un diamant à plusieurs faces. Considérer l'une d'elles, n'est pas oublier les autres.

Tes amies ont raison.

J'ai dit, il est vrai, que les jeunes filles ont un grand pouvoir sur vous, jeunes gens. Mais vous avez, vous aussi, un grand pouvoir sur elles. Vous êtes faits les uns *pour* les autres, et vous vous faites les uns *par* les autres.

L'humanité boiterait si une partie d'elle-même se dérobait, et la société se construit de travers quand l'homme et la femme ne sont pas reconnus dans leur égale dignité. Ils doivent se rencontrer. Ils sont complémentaires. Mais aucune vie ne peut jaillir saine, s'ils ne sont pas également respectés.

Jeunes, le monde que nous vous avons fait, trop souvent vous dessert. Il devrait vous aider. Celui que vous ferez, je l'espère, épanouira vos fils, mais il ne trouvera pas son équilibre et sa fécondité, si vous-mêmes, entre vous, vous ne trouvez les vôtres.

Ce sont les différentes faces du diamant.

Aujourd'hui, mon petit, puisque ton cœur t'y invite, écoute « les filles jolies de tes voyages gris. » Ironiques et tendres, elles ont beaucoup à te dire et d'elles tu as beaucoup à retenir.

— Et que me disent-elles ?

— Ecoute-les, te dis-je.

Garçon, tu le sais, au bois d'amour, derrière chez nous, tu es souvent habile braconnier
et plus d'une fille s'est laissée prendre au collet de tes bras.
Mais quand devant tes amis ébahis, tu exhibes triomphant tes beaux tableaux de chasse,
Sache que tu « m'écœures », car pour ton bon plaisir, je ne suis pas gibier,
et tu me forces à croire que vous n'êtes souvent, petits garçons, que de tristes chasseurs de filles.

Je sais que tu es fort quand tu veux t'emparer de celle que tu désires,
Sans même réfléchir que la prenant pour toi...
elle qui te suit du bout des lèvres, du bout du cœur,
Tu la voles à un autre, qui pourrait être ton ami,
et qui sans même la connaître, rêve que pour lui elle se réserve,
rose sur le rosier, et non fleur cueillie.

Tu sais de mon cœur combien le bois est tendre, comme celui des jeunes arbres, au printemps qui s'annonce.
Mais pour t'amuser tu graves ton nom près du mien sur ma fragile écorce,
en ignorant que le couteau pénètre, plus que tu ne le penses,
faisant couler la sève de mon cœur blessé.

Garçon, de toi souvent je dois prestement me défendre et quelquefois regagner ma tour, en fermant à la hâte mes ponts-levis baissés.
Car j'ai peur de tes gestes, et plus encore de tes mots.

Ils peuvent le temps d'une soirée, combler les plus profonds fossés
et te permettre de me rejoindre, là où je ne voulais pas te rencontrer.

Tu me dis qu'il faut bien s'amuser, jouir et se réjouir,
mais l'amour n'est pas jeu, je ne suis pas ton jouet
et tu n'es pas le mien,
Et si je crois que le plaisir n'est pas fruit défendu,
Je sais que le fruit doit être mûr avant d'être cueilli,
Et qu'il ne faut pas voler dans les vergers d'autrui,
même si l'ami complice m'y introduit de nuit.

Tu me dis, on le dit, qu'il faut tout essayer, que l'amour s'apprend et qu'il faut s'entraîner
Mais il n'est pas vrai que les filles, sont chaussures pour tes pieds,
que tu peux essayer, une à une en riant, avant de trouver la ligne qui te plaît, et la juste pointure,
Et mon corps garçon, n'est pas davantage, blanches touches de piano,
où tu peux t'exercer à en monter les gammes,
pour jouer plus tard avec un autre le récital de ta vie.

Tu me dis qu'ouvrir les portes de mes chambres secrètes,
est la plus grande preuve d'amour que je puisse donner...,
— Tu as raison, mon ami —
Alors très haut tu déclares que tu m'aimes, et jures que c'est vrai,
demandant que je t'aime, et réclamant les clefs.
Mais si tu m'aimais, vois-tu, tu me tendrais la main,
une main bien sage, qui doucement me caresserait tout en cherchant la mienne.
Et je te la donnerais,
Nous marcherions ensemble,
Et nos lèvres disponibles échangeraient nos mots
Nous parlerions de toi, de moi, des autres, et de l'immense monde.
Émerveillés, nous visiterions le pays de nos vies,
Et nous déshabillerions patiemment nos deux cœurs de tous leurs déguisements,
Bien avant, qu'un jour peut-être, nous étant reconnus,
Nous décidions ensemble, d'unir nos deux vies.
Alors l'ayant dit devant Dieu et puis tous nos amis,

Nous pourrions enfin déshabiller nos corps, pour ensemble ne faire qu'un,
et nous donner la Joie
et leur donner l'Enfant
Ce serait beau, tu sais !

...

Mais tu me dis garçon ... tu me dis beaucoup de choses...
et tu perds ton temps, car les autres le disent
Tu ferais mieux vois-tu, de m'avouer simplement. « j'ai grande envie de toi,
parce que mon cœur a soif, dans mon corps qui a faim... »
Et je comprendrais, garçon... car moi aussi souvent, j'ai envie que tu viennes
Et certains soirs de brouillards ou d'orages, mes barrières entrouvertes,
je te guette, je t'attends,
Et tu pourrais chez moi pénétrer, y butiner ton miel,
sans qu'en mon cœur je trouve assez d'amour,
pour me donner la force de te repousser.

Tu connais pourtant mon rêve, mon secret, mes difficiles luttes,
Les doigts de la nature — ce n'est pas un hasard — ont scellé en mon corps la porte de la vie
Et je voudrais, tu le sais, d'autres en sourient, pas moi je te le dis,
Que celui qui le premier, en franchira le seuil,
Soit l'élu de mon cœur, mon époux de toujours,
mon seul laboureur et mon seul semeur.
Et quand ayant mûri de nos amours d'été, notre fruit, notre enfant,
voudra quitter son arbre et déserter son nid, caché sous mes ombrages,
Je veux que petit Prince, il puisse emprunter pour sa venue au monde,
Une Voie Royale, qui soit digne de lui.

...

O dis-moi, mon garçon, mon ami,
tu me comprends n'est-ce pas ?...
Mais puisque je ne suis pas plus forte qu'une autre, je le sais, tu le sais,
j'ai grand besoin de toi,
Autant que tu me dis avoir besoin de moi.

J'ai besoin de te regarder, de pouvoir t'admirer, découvrant émerveillée, tes richesses cachées,
Mais j'ai besoin aussi que chercheur patient, tu détectes les miennes, car j'ai peur, souvent, que ma dot soit trop maigre, et ne puisse enrichir le garçon qui m'aimera
J'ai besoin que tu me dises tes pensées, tes sentiments, tes projets, pour que sans craintes je puisse partager les miens, car je sais que les âmes secrètes ne sauront pas aimer.
J'ai besoin de découvrir ta force, pour comprendre que ma douceur, n'est pas une faiblesse, mais une amie nécessaire, pour apprivoiser ta rudesse.
J'ai besoin de te voir debout, et sachant marcher seul, sans que des filles naïves, trop souvent te servent de béquilles.
J'ai besoin de t'entrevoir ému, pour croire que ton cœur bat, et si à tes yeux une larme paraît, que tu n'as pu retenir,
J'ai besoin que tu la laisses briller, sans te croire ridicule, car pour moi cette larme est une perle rare, dont j'ignorais que tu puisses être l'écrin.
J'ai besoin de te voir combattre pour tes frères et défendre leur bonheur, pour apprendre que demain tu sauras lutter, pour ton amour et pour tes fils
J'ai besoin... que tu me regardes, pour savoir que j'existe
J'ai besoin que tu me recherches, et choisisses quelquefois d'être à côté de moi pour ne pas me croire, hélas, triste fille de l'ennui.
J'ai besoin que tu m'invites à danser pour savoir que mon corps est souple, roseau de tiges vertes et vivantes, et non bois sec, qu'on évite ou rejette.
J'ai besoin, je te l'ai dit, d'apprendre joyeusement la chaleur de ta main dans ma main, et le poids de ton bras posé sur mon épaule pour savoir que les bras des garçons ne sont pas pièges tendus, pour lâchement nous capturer.

J'ai besoin enfin, garçons,
de votre amitié,
Comme vous avez besoin de la nôtre.
Mais je n'ai pas besoin, oh non !
Que les uns après les autres, vous me disiez : « je t'aime »

Car lorsque viendra, mon amour que j'attends,
et qu'enfin, il me le murmurera
... j'aurai alors du mal à croire que c'est VRAI.

Le Sage se tut, et je pensais qu'il avait achevé de parler. Mais après un long silence il ajouta : *l'amitié, après l'amour, est le plus beau cadeau du ciel.* Heureux qui peut en vivre !

Garçons, vous êtes envoyés aux jeunes filles, et jeunes filles, aux garçons, pour que dans l'amitié, vous vous disiez les uns aux autres, quelque chose de la délicatesse et de la tendresse de Dieu.

C'est ainsi que vous apprendrez à aimer.

***

Je me levais. J'allais me retirer.

C'est à ce moment-là que l'Enfant parut. Il était entré sans bruit, se faufilant derrière le Sage, sans même que je l'aperçoive. Il me regarda malicieusement et me fit signe de me taire.

Le Sage n'était pas dupe. Il souriait mais ne bougeait pas.

L'enfant prestement appliqua ses deux mains sur les yeux de mon Ami. Celui-ci attendit un moment, faisant semblant de chercher quel était son mystèrieux agresseur, et s'exclama soudain comme s'il avait enfin trouvé : « C'est mon petit ange blond ! »

L'ange blond — qui n'avait rien de blond ? — éclata de rire. Alors se haussant sur la pointe des pieds, il passa sa tête par-dessus l'épaule du Sage et l'embrassa très fort.

Puis il sortit sans rien dire, comme il était entré.

Le Sage souriait encore, visiblement heureux. Il me regardait et s'amusait de mon étonnement. Mais il ne dit rien. Et je ne demandais rien.

Dehors, j'aperçus de loin, l'Enfant. Il tournait au coin de la rue.

25

Je « la » rencontrerai. J'en étais sûr.

Quand je pensais à elle, je m'envolais très haut sur les ailes du rêve. Et mon ciel était pur, sans l'ombre d'un nuage.

Puisque « c'était beau », ce serait beau pour moi !

Mais brusquement, imprévisible, se levait le vent violent du doute. Je me retrouvais à terre.

Je ne voyais alors que les obstacles. Je l'ai dit, j'avais devant les yeux tant et tant d'exemples qui contredisaient mes rêves ! Et puis mes camarades me démontraient sans cesse que c'était folie de croire à l'amour, du moins comme j'y croyais maintenant.

Lorsque je discutais avec eux, je trouvais certes de plus en plus d'arguments à leur opposer. Le Sage m'en fournissait. Mais est-ce que je ne tentais pas de me persuader moi-même en voulant les persuader ?

Je ne doutais plus que ce fût beau, mais je doutais que ce fût possible.

Révéler au Sage le fond de ma pensée me gênait de moins en moins, car il ne s'étonnait jamais de ce que je pouvais lui dire. Je ne m'en privais pas. Quelquefois même, dépassant ma pensée, je le provoquais. C'est que je cherchais à exorciser mes doutes. J'avais envie qu'il me convainque.

***

— Ami, lui dis-je ce jour-là, lorsque garçons et filles, nous sommes amoureux, est-ce vraiment raisonnable de nous engager... pour une vie entière ?

— Oui, dit-il .. « si vous êtes raisonnables »

— Et quand ne sommes-nous pas « raisonnables » ?

— Il répondit :

Lorsque quelqu'un se tient debout devant le soleil, nul ne peut découvrir les traits de son visage, mais seulement une forme sombre, irradiée de lumière.

Ainsi, si vous ne vous regardez l'un l'autre qu'à la seule clarté de votre sensibilité, vous n'apercevrez de vous, qu'une ombre vague, mais dorée.

Ce n'est pas très raisonnable

Si un bel inconnu frappe très fort à la porte de votre cœur et que vous lui dites : entrez chez moi ! sans prendre la peine... de sortir de chez vous, et de faire connaissance.

Ce n'est pas très raisonnable

Si lui est prince et elle bergère, et que vous dites : entre les amoureux nulle différence ne subsiste, seuls les préjugés dressent devant eux des barrières.

Ce n'est pas très raisonnable

Si vous usez toutes vos minutes et vos heures à vous dire « je t'aime », et découvrir le goût de votre bouche, en n'ayant plus de temps à dépenser pour vous dire, qui vous êtes, ce que vous faites et quelles routes vous souhaitez prendre.

Ce n'est pas très raisonnable

Si vous pesez, mesurez et calculez déjà ce que vous vous donnez l'un à l'autre et que faisant vos comptes,

vous vous disputez parce que vous pensez qu'ils ne sont pas justes, l'un donnant moins tandis que l'autre donne plus.
Ce n'est pas très raisonnable

Si l'un et l'autre, vous vous grimez et vous parez de déguisements, pour jouer, afin de plaire, les personnages que vous aimez.
Ce n'est pas très raisonnable

Si vos idées et vos convictions divergent, en tout, et que vous pensez l'un et l'autre : je le convaincrai et le convertirai.
Ce n'est pas très raisonnable

Si vous dites : essayons de nos corps l'harmonie, et vérifions s'ils sont aptes au plaisir, en oubliant que vos corps sont interchangeables et qu'ils peuvent solder ces plaisirs d'occasion, sans offrir de l'amour.
Ce n'est pas très raisonnable

Si vos parents et tous vos vrais amis vous disent : nous pensons que vous faites fausse route,
et que leur criant : qu'importe, nous nous aimons ! Vous lâchez leurs mains
et partez seuls en rompant vos amarres.
Ce n'est pas très raisonnable

Si chacun de votre côté, vous abandonnez, inachevé, la construction de votre mur en disant : posons maintenant le toit de notre maison.
Ce n'est pas très raisonnable

Si… Si… mais pourquoi parler encore ? Tu sais bien ce qui n'est pas raisonnable. Les amoureux le savent aussi… quand il s'agit des autres. Mais quand vient leur tour d'aimer, beaucoup… ne veulent plus savoir et… ce n'est pas très raisonnable.

Un « grand amour » vois-tu mon petit, lorsqu'il n'est pas authentique fait souvent « perdre la tête ».

Et c'est folie de vouloir aimer, sans sa tête, ajouta le Sage en souriant.

Je n'avais pas envie de rire. J'étais même un peu agacé en écoutant mon Ami énumérer de si nombreuses exigences. Quand on est jeune et qu'on est amoureux, a-t-on envie d'être raisonnable !

Je répliquais un peu sèchement :

— Si c'est ainsi, Ami, on ne peut faire que des « mariages de raison » !

— Non, répliqua le Sage calmement, et sans se départir de son sourire : ni un mariage de raison, ni un mariage d'amour, mais *un mariage d'amour, raisonnable.*

Je pris le parti de sourire à mon tour et dit : « décidément, vous avez toujours… raison ».

*
**

Mais le sujet était trop grave pour que nous en restions là. Entêté, je poursuivais : même si les amoureux sont parfaitement « raisonnables », dis-je ; même s'ils s'entourent de toutes les garanties nécessaires, il reste toujours un risque.

— Heureusement, répliqua le Sage, redevenu subitement sérieux. Si par impossible, tout était mesuré, programmé, fixé d'avance, il n'y aurait plus d'amour. Car manquerait l'espace de liberté nécessaire, qui permet de se dire l'un à l'autre : « ensemble nous avons cheminé sérieusement, non pour profiter l'un de l'autre, mais pour nous connaître, nous estimer et juger si nous pouvions *raisonnablement* unir nos deux vies. Mais je ne connais pas tout de toi. Je ne sais pas ce que nous deviendrons demain. J'ignore quel sera le poids de nos peines et la douceur de nos joies. J'ai cependant décidé de te donner toute ma vie, car je m'en crois capable, et je te fais confiance, tu me donneras la tienne, puisque toi aussi tu le veux. »

Cette *décision* et cette *foi en l'autre* sont les preuves authentiques de l'amour.

— Mais elles n'évacuent pas le risque, soulignais-je une dernière fois.

— Je te l'ai dit, heureusement, car elles tueraient l'amour. Vois-tu, ce qui est grave aujourd'hui, c'est que les hommes n'osent plus prendre de risques. Ils veulent au contraire être « assurés tous risques ». Ils ne savent plus, ils ne veulent plus s'engager pour une vie entière. C'est un manque de maturité, une très grande faiblesse

Si l'homme craint de marcher, qu'il ne lâche pas la main de sa mère,
S'il craint de tomber, qu'il reste assis,
S'il craint l'accident, qu'il laisse sa voiture au garage,
S'il craint l'escalade, qu'il demeure au refuge,
S'il craint que le parachute ne s'ouvre, qu'il ne saute pas,
S'il craint la tempête, qu'il ne lève pas l'ancre,
S'il craint de ne pas savoir bâtir sa maison, qu'il la laisse en plan.
S'il craint de se tromper de route, qu'il reste à la maison,
S'il craint l'effort, le sacrifice et l'avenir, qu'il renonce donc à vivre, et que peureux il se renferme et se recroqueville...
Alors...,
Il pourra peut-être survivre, mais il ne sera plus un homme,
car c'est le propre de l'homme de pouvoir raisonnablement risquer sa vie.
Il pourra faire semblant d'aimer, mais il ne saura pas aimer,
car aimer c'est être capable et vouloir risquer sa vie pour les autres, pour un autre.
Il pourra engendrer, mais ne sera ni père, ni mère,
car être père ou mère c'est, tel le grain en terre, accepter le risque suprême, de perdre sa vie pour que naisse l'épi.

*
**

Je n'avais plus envie de contredire, mais je pensais à tous mes camarades qui se disant réfléchis préféraient, avant de s'engager pour une vie entière, vivre avec leur amie pour vérifier la solidité de leur amour.

Jusqu'à présent je les approuvais. Aujourd'hui, je pressentais l'erreur, sous les apparences du sérieux. Mais une fois encore, mes convictions naissantes cherchaient appui auprès de mon Ami.

Timidement je murmurais : peut-être est-ce plus raisonnable « d'essayer » avant de s'engager… ?

— On se prépare à aimer, répliqua le Sage, mais on « essaye » pas un amour.

— Pourquoi ?

— Parce que au moment même où les « amoureux » (!) décident « d'essayer » si leur amour peut durer, ils se révèlent mutuellement qu'il n'est pas un *véritable* amour.

— Mais beaucoup agissent ainsi.

— Ils sont libres. Je ne les juge pas. Il faut connaître leurs raisons. Elles sont multiples. Mais ils se trompent.

Je ne dis pas, vois-tu, qu'ils font mal. Seul peut le dire Celui qui lit dans les cœurs. Je dis qu'ils *se font du mal* et j'ai mal pour eux.

Ils ne sont pas prêts à aimer.

…

*
**

C'est alors que l'Enfant entra à nouveau. Un court instant je lui en voulu d'interrompre notre dialogue. Car l'attention de mon Ami, immédiatement se détourna de moi. Il suivait l'Enfant des yeux. Celui-ci marchait dans la pièce, faisant semblant de nous ignorer. Cependant de temps en temps, à la dérobée, il regardait le Sage, et baissait rapidement les yeux, quand il rencontrait les siens. Et puis, brusquement, il s'avança vers lui. Il lui fit face, prit sa main, la tint un instant entre les siennes, puis la rejeta en déclarant solennellement : « Papi, je ne t'aime plus ! »

— Et moi je t'aime toujours répondit le Sage, et je t'aimerai *toujours*.

Alors l'Enfant se rapprocha, se pencha vers mon Ami, et l'embrassa. Puis il partit comme il était venu.

...

Décidément, ces visites de l'Enfant enchantaient visiblement le Sage. Son visage était illuminé. Il goûtait silencieusement la joie de la rencontre.

Quand il revint à moi, il dit simplement :

— Excuse-moi, mon petit, je me devais à l'Enfant.

Il y a quelques jours, j'ai refusé d'accéder à l'un de ses désirs. Le satisfaire n'était pas bon pour lui. Il est parti en boudant. S'il est revenu aujourd'hui, vois-tu, c'est pour vérifier mon amour pour lui. Je devais le rassurer. Il est comme tous les enfants — et celui-ci plus que d'autres, ajouta-t-il, presque tout bas — il a besoin *d'être absolument sûr de l'amour de ceux qui disent l'aimer.*

Ainsi le bébé qui se réveille la nuit, pleure pour appeler ses parents, constater qu'ils sont là, et ne l'ont pas abandonné.

Ainsi le petit enfant à la promenade, lâche la main de sa mère, et reste seul en arrière, pour voir si sa maman viendra le rechercher.

Ainsi l'enfant expérimente peu à peu ce qu'il peut faire, sans fâcher ses parents, et quand apparemment une grosse bêtise a rompu tous les liens, il cherche à les renouer, demandant une preuve que l'amour persiste.

Ainsi le jeune qui tente de découvrir quelle valeur il revêt aux yeux de ses parents en mesurant ce qu'ils acceptent de lui donner, de choses, de temps, d'attention, de baisers...

Ainsi l'adolescent qui torture ses parents, voulant se détacher d'eux, pour devenir lui-même, tout en vérifiant la permanence et l'authenticité de leur amour.

— A vous entendre, il ne faudrait alors, rien refuser aux enfants !

— Détrompe-toi. Il faut souvent leur dire non, car la satisfaction de beaucoup de leurs désirs ne sont pas bénéfiques pour eux. Mais il faut que l'enfant soit certain que ces non, ne sont pas signes d'un manque d'amour. Au contraire.

Celui qui aime doit savoir refuser aussi paisiblement qu'il sait donner.

— Mais le bébé et le petit enfant ne peuvent pas comprendre.

— Avant même de parler, le bébé comprend le langage de l'amour.

— L'enfant, l'adolescent, se révoltent souvent.

— Si l'attitude des parents est désintéressée et VRAIE, ils comprendront plus tard. Toute graine d'amour authentique, pousse un jour, dans le cœur où elle a été semée.

— Mais on peut l'étouffer !

— C'est vrai. L'homme est libre.

Mais les parents, vois-tu, mon petit, sont responsables des labours et des semailles, et non pas de la moisson.

*
**

J'étais intéressé, mais je pensais que nous nous étions fort éloignés de notre sujet.

Le Sage m'en dissuada.

Comme l'enfant, me dit-il, l'homme a besoin de *la certitude d'être aimé* pour devenir lui-même, et s'épanouir. Nul ne peut croire à sa vie, la vouloir, l'aimer, s'il n'en découvre la valeur infinie. Et c'est celui qu'il aime, et qui l'aime qui, plus que tout autre, la lui révélera.

Les parents par leur tendresse, leur authentique dévouement et même leur fermeté disent à leur enfant : « ta vie est tellement précieuse que nous donnerions notre propre vie pour toi ».

L'amoureux dit à l'amoureux : « Je t'ai regardé, estimé, choisi, *toi,* parmi tous les autres. Et tu as tellement de valeur à mes yeux, que je décide de te donner tout : mon cœur, mon esprit, mon corps, ma vie. *Tout et pour toujours.*

Cependant, les jeunes sont libres en effet de se dire l'un à l'autre « essayons ». Qui pourrait les en empêcher ? Mais qu'ils ne déclarent pas alors « nous nous aimons ! ». Et surtout, qu'ils sachent qu'au lieu d'offrir à leur ami la plus magnifique des révélations : je suis aimé, ils introduisent en son cœur le plus pernicieux des doutes · serai-je un jour aimé ? et pour en finir : *suis-je « aimable » ?*

Or, je le répète, la certitude d'être aimé, construit la personne. Le doute la détruit.

A toi de décider ce que tu veux offrir à l'autre.

26

C'est vrai. Qui peut vivre et grandir sans amour ? Quel monde peut se construire en son absence ? Je l'avais découvert lors de mes premières rencontres avec le Sage. Je le redécouvrais.

Les hommes aujourd'hui *ne veulent plus risquer leur vie par amour*. N'est-ce pas leur tragique faiblesse ? Certains acceptent simplement « d'essayer »... et pendant ce temps-là, ils s'anémient, ils se disloquent et le monde avec eux, car il leur manque cette énergie essentielle qui seule peut les faire vivre.

Ainsi je méditais, quand je reçus ce poème du Sage.

Amour,
nourriture de l'affamé
eau pure de l'assoiffé
soleil de l'homme transi
indispensable sève du vivant

Amour, enfant pauvre de ce monde cruel
amour dont on doute
amour qu'on essaye
amour sous conditions
amour à temps restreint

O monde malheureux, sous-alimenté de l'amour
monde qui se craquèle puis éclate, comme terre sans eau
monde de frères qui deviennent ennemis
monde d'ennemis qui s'exploitent et se tuent

O hommes malheureux
écorchés
déchirés
révoltés
hommes sevrés d'amour

Hommes qui usent leurs jours aux couleurs de nuits
à chercher
vérifier
peser
s'ils ont été aimés
s'ils sont aimés
s'ils pourront être aimés

Hommes qui mendient quelques bouchées d'amour
pour survivre demain
Hommes qui cherchent à s'étourdir, jouir,
et couchent avec le plaisir
oubliant qu'ils dorment sur leurs angoisses
et campent sur leurs peurs

O Amour !
quand seras-tu redonné au monde fou qui *doute* de toi
et meurt lentement de ne plus croire en toi ?

***

Mon Dieu, redonne-moi *la force d'aimer*,
Car le monde attend, qui a besoin de moi
Et si je n'arrive pas encore à croire à l'amour des autres,
si je n'arrive pas assez à croire à ton Amour de Père
Donne-moi au moins le courage de *risquer ma vie* pour les autres et pour
« une » autre
afin que d'autres que moi
ne souffrent pas comme moi

***

Moi aussi, au-delà de mes rêves fous, au-delà de mes enthousiasmes quand j'écoutais parler le Sage, je doutais de l'amour des autres pour moi, et de mon aptitude à les aimer. J'en ai honte, mais je l'avoue encore. C'était mon mal.

Avais-je été authentiquement aimé, et le serais-je un jour ? Aimé au point qu'une fille soit capable de donner sa vie pour moi, et moi la mienne pour elle ?

Aujourd'hui je me posais clairement la question, réalisant que depuis longtemps elle me hantait inconsciemment, entretenant le « mal au cœur » de mon âme. Oui, j'étais de ceux qui doutaient, et cette cruelle maladie me rongeait, me détruisait.

Elle venait de loin.

Je décidais de faire le point.

Mes parents, je l'ai dit, m'aimaient à leur manière. Mal. J'en étais sûr. Souvent, inquiet, j'avais testé leur amour, et je m'étais très vite aperçu, surtout en grandissant, qu'ils attendaient de moi des satisfactions, pour eux, plus qu'ils ne souhaitaient et recherchaient un véritable bonheur, pour moi. De plus, j'étais parfois gênant, et ils ne se privaient pas de me le faire comprendre. Je réalise aujourd'hui que certaines de leurs réflexions n'étaient probablement en partie, que des boutades. Elles dépassaient leur pensée. Mais je les prenais au sérieux et en concluais qu'ils ne m'aimaient que par devoir. Rien n'était plus pénible pour moi que de le penser.

De tout cela, je leur en avais voulu. Je m'étais vengé en les faisant souffrir. Puis je m'étais habitué, résigné, barricadé.

Ce qui est plus grave, c'est que j'en avais conclu une fois de plus que personne n'était aimé pour lui-même, et donc que le véritable amour n'existait pas. Il me faudrait alors me contenter de miettes.

Ces miettes, je les recherchais avidement. Dans la camaraderie, l'amitié bien sûr, mais aussi, je le comprenais maintenant, dans une multitude de gestes, de paroles, d'attitudes qui tissaient ma vie quotidienne. Je cherchais à attirer l'attention sur moi. A me mettre en valeur. Je voulais qu'on me regarde, qu'on m'admire, qu'on m'estime, qu'on m'aime. Je voulais au minimum rappeler aux autres que *j'existais*.

Tout en moi participait inconsciemment à cette longue quête de regards sur moi : mes paroles, mes bons mots, mais aussi à certains moments mes silences ou mes mensonges : mes rires ou mes peines exagérés, mes assauts de gentillesse ou mon agressivité ; mes périodes de timidité et même, j'en suis sûr maintenant, certains de mes malaises physiques. Autant d'appels silencieux ou de bruyantes revendications, autant de bouteilles jetées à la mer, avec le fol espoir qu'elles seraient recueillies et honorées.

Aujourd'hui je sais qu'autour de moi, partout, ces mêmes appels retentissent. J'en ai appris la langue et le vocabulaire inattendu. Je sais le décrypter. Continuerai-je alors, de juger celui-ci, celle-là, sur ses attitudes extérieures, passant bêtement, aveugle et sourd, au milieu de tant et tant de naufragés de l'amour ?

Me faire remarquer, estimer, aimer des autres, n'était pas suffisant. Très vite évidemment, ce fut surtout des « filles », dont j'essayais d'attirer l'attention. Que n'aurais-je pas fait pour un regard, une parole, un baiser, un moment d'intimité ! Certes, je recherchais le plaisir, mais sous les plaisirs si rapidement décevants, c'est un peu d'amitié et d'amour que sans fin je quêtais.

J'allais de déception en déception, et pas un instant ne me venait à l'esprit que pour être aimé, il me fallait être capable d'aimer les autres.

***

Enfin, le Sage vint. Il entra dans ma vie. Dès les premiers contacts, je fus *certain* qu'il me reconnaissait et qu'il m'aimerait. Il me donnait de son temps. Il me donnait son attention totale. Il « se » donnait… et *ne réclamait rien.*

Aujourd'hui, j'étais sûr qu'il m'aimait authentiquement et inconditionnellement. Et cette « foi » sans failles me donnait l'envie de grandir et… d'aimer. Pour lui faire plaisir ? Peut-être un peu, mais beaucoup plus profondément parce que devant lui je me sentais capable de me dépasser. *Sa confiance me donnait confiance.* Je commençais à croire en moi, parce qu'il croyait en moi. Même mes erreurs, mes fautes, ne m'arrêtaient plus, car lorsque je les lui avouais, je savais que malgré elles, il continuait de m'estimer, de m'aimer, de me faire confiance.

C'était merveilleux cette force inconnue qui surgissait en moi, de moi. Énergie mystérieuse qui vivait cachée au plus profond de mon cœur, VIE qui depuis toujours m'était donnée, mais qu'aucun homme jusqu'alors n'avait su détecter et faire jaillir de mes terres fertiles.

Le Sage m'avait dit dans nos premières rencontres que cette VIE et l'AMOUR au creux de cette VIE, venaient d'ailleurs : de Dieu. Je l'avais compris avec ma tête. Aujourd'hui je l'expérimentais avec mon cœur.

C'est ainsi que parallèlement je découvrais peu à peu le vrai visage de Dieu. Plus que par ses paroles, l'attitude du Sage en était le vivant reflet.

Dieu était *Celui qui aime inconditionnellement.* Et celui qui acceptait de s'ouvrir à cet Amour, de se laisser atteindre, « toucher » par Lui, se redressait miraculeusement, guéri de ses paralysies. Abandonnant son grabat, il courait vers les autres. Oui, j'en étais certain maintenant, lorsque Jésus disait aux malades de l'Évangile : « Va, ta foi t'a sauvé ! », c'était la foi en cet Amour infini. Et cette foi guérissait. Elle rendait l'homme capable de « soulever les montagnes ».

C'est de cet Amour dont les hommes avaient besoin. S'ils étaient malades, mourants, c'était de ne plus y croire.

C'est de cet Amour que je devrais aimer les autres autour de moi, comme Jésus de Nazareth nous le demandait, comme le Sage, son disciple, aimait.

C'est de cet Amour que je devrai aimer celle qui accepterait de m'aimer. Je le comprenais. Je le désirais de toutes mes forces, mais saurais-je lui être fidèle ? *Fidèle pendant une vie entière ?*

Je ne parvenais pas à y croire ?

27

Ce jour-là, le Sage me dit : la vraie fidélité du couple n'est pas ce que tu penses, mon petit. Elle n'est pas contrainte, imposée par la loi, la société, l'Église. Elle n'est pas le respect d'un contrat sous des peines sévères :

Elle est aventure, route à parcourir, parce que route choisie
Elle se vit, se développe comme se vit, se développe l'amour des amants
Elle est cet amour en marche
Elle est son pain quotidien, et le vin de sa joie.

L'amour n'est pas tout fait. Il se fait.

Il n'est pas robe ou costume prêt à porter,
mais pièce d'étoffe à tailler, à monter et à coudre
Il n'est pas appartement, livré clefs en main,
mais maison à concevoir, bâtir, entretenir, et souvent réparer
Il n'est pas sommet vaincu,
mais départ de la vallée, escalades passionnantes, chutes douloureuses,
dans le froid de la nuit ou la chaleur du soleil éclatant
Il n'est pas solide ancrage au port du bonheur,
mais levée d'ancre et voyage en pleine mer, dans la brise ou la tempête

Il n'est pas OUI triomphant, énorme point final qu'on écrit en musique, au milieu des sourires et des bravos,
mais il est multitude de « oui » qui pointillent la vie,
parmi une multitude de « non », qu'on efface en marchant
Il n'est pas brusque apparition de vie nouvelle, parfaite dès sa naissance,
mais jaillissement de source et long trajet de fleuve aux multiples méandres,
asséché quelquefois, débordant d'autres fois,
mais toujours cheminant vers la mer infinie

La fidélité n'est pas toute faite, comme l'amour elle se fait, car elle en est l'indissoluble compagne.

Ainsi, être fidèle, vois-tu, ce n'est pas :
ne pas s'égarer,
ne pas se battre,
ne pas tomber
C'est *toujours se relever et toujours marcher*
C'est vouloir poursuivre jusqu'au bout le projet ensemble préparé, et librement décidé,
C'est faire confiance à l'autre, au-delà des ombres et des nuits,
C'est se soutenir mutuellement, au-delà des chutes et des blessures,
C'est avoir foi en l'AMOUR tout-puissant, au-delà de l'amour.

La fidélité, mon petit, c'est quelquefois — écoute sans trembler —
celle de Jésus, qui cloué sur la croix,
corps et cœur écartelés par l'infidélité de l'homme,
seul
abandonné
trahi
demeure *fidèle* jusqu'à la mort,
par-donne, donne encore
et par sa vie offerte,
SAUVE À JAMAIS L'AMOUR

..

— Jésus, oui, murmurai-je presque tout bas mais l'homme ? Aimer ainsi, jusqu'au bout, au-delà des infidélités, des abandons, de la rupture, et jusqu'à la mort... c'est impossible !

— Impossible à l'homme seul, oui, reprit le Sage. Avec Jésus-Christ, non.

— Mais il faut croire en Lui !

— Dieu, par son Fils, mon petit, accompagne *tous les hommes* qui un jour ont décidé, loyalement, de s'aimer. Car Il est Père, vois-tu, Il aime ses enfants, et aime tous les enfants qui s'aiment.

— Mais quand ils ne s'aiment plus ?

— Lui continue de les aimer... ensemble.

— Il n'y aurait donc jamais d'échec total ?

— Si l'homme le veut, depuis la croix, JAMAIS.

...

— Je ne puis l'admettre, dis-je après un long silence. C'est impossible !

— Tu comprendras plus tard, mon petit. Moi-même il m'a fallu beaucoup de temps pour y parvenir.

— Comprendre avec sa tête, peut-être, mais quand le cœur est atteint, qui peut apaiser sa profonde douleur ? Les mots sont faciles dans la bouche de ceux qui n'ont pas souffert.

Le Sage se troubla imperceptiblement. J'aurais dû m'en apercevoir, mais j'insistais lourdement :

— Vous-même, comment êtes-vous parvenu à comprendre ?

et la réponse vint, brutale, inattendue,

— Parce que je l'ai vécu.

...

- J'étais brusquement affolé, perdu, comme un homme

qui d'un geste involontaire, a rouvert une plaie dans la chair de l'ami.

Le Sage s'était tu. Il demeurait immobile. Je le dévisageais, tentant de mesurer, à l'expression de son visage, la profondeur de la souffrance réveillée.

C'est son cœur qui saignait. Je le sus, parce que ses yeux pleuraient.

*
**

Que dire ? Que faire ? J'étais honteux, paralysé. Au bout d'un long moment, je m'approchais timidement de mon Ami et gauchement posais ma main sur la sienne. Ce contact me rassura.

— Pardon, murmurais-je enfin, je ne savais pas !

— Tu ne pouvais pas savoir, mon petit. Et son regard me dit qu'il ne m'en voulait pas.

Puis il reprit : rassure-toi, ces larmes, aujourd'hui, sont des larmes de paix et non de désespoir ou de révolte. Celles-ci sont fécondes, les précédentes rongeaient mon cœur comme un puissant acide.

Les larmes demeurent, vois-tu, quand le cœur est blessé, mais nul ne peut s'épanouir s'il ne les transforme en jaillissement de vie nouvelle.

C'est ainsi que Jésus nous a redonné la VIE, au-delà de nos infidélités.

— Je t'expliquerai dit-il encore en se levant pour me raccompagner. Mais pas aujourd'hui... Je ne le pourrais pas.

28

Je m'en voulais encore.

Malgré le regard paisible que m'avait offert le Sage, malgré ses réconfortantes paroles, j'avais la douloureuse impression d'avoir à nouveau chargé sur ses épaules, une lourde croix qu'un moment il avait déposée.

Je dois l'avouer, j'étais surtout consterné, et ce qui est plus grave, déçu. Ainsi le Sage, lui aussi, avait connu l'échec d'un foyer désuni. Pas un instant je ne l'avais imaginé.

J'en voulus d'abord à sa femme, car sans savoir, je l'accusais. Très vite, j'eus honte de moi, interdisant à mon imagination de dresser un tribunal. Et puis hélas, comme souvent encore, pressentant un dur combat à livrer, je fus envahi par un immense découragement.

Si le Sage avait échoué, qui pouvait réussir ? Je pensais irrésistiblement à tous ces couples connus qui autour de moi s'effondraient comme châteaux de cartes, sous les doigts d'un enfant. Je me remémorais les statistiques qui implacablement chiffraient pour nous la montée du nombre des divorces. Alors, à nouveau, le doute ravageur s'installait en mon esprit.

Décidément, je n'en sortirai pas.

***

Je me repris très vite, et je fus fier de moi, car j'enregistrai cette réaction comme une victoire : la preuve qu'insensiblement je devenais plus fort.

Le Sage me parlait maintenant, même quand il ne parlait pas. Je l'entendais me murmurer de sa voix douce mais ferme : « Ne t'ai-je pas dit et redit que c'était difficile ? Ne perds pas ton temps, mon petit, à soupeser tes chances de réussir ton amour, pensant un moment que tu n'y arriveras pas, tandis qu'à d'autres, orgueilleusement, tu prévois que toi tu feras beaucoup mieux que les autres ! *Prépare-toi.*

Exerce-t-on un métier sans l'avoir longuement appris ? Passe-t-on un examen sans l'avoir travaillé ? Livre-t-on un match sans jamais s'entraîner ? Pourquoi les hommes pensent-ils qu'ils pourront fonder une famille heureuse et stable sans longuement s'y préparer ? Il ne suffit pas de dire « je t'aime » pour aimer toute une vie »...

Et je reprenais mes efforts.

***

J'appréhendais de rencontrer à nouveau le Sage. Et pourtant je le souhaitais. J'étais certain que cette rencontre m'apaiserait. Mais il me fallait, pour qu'elle fût bénéfique, accomplir une démarche qui me coûtait beaucoup. J'avais jugé mon Ami et je le regrettais.

— Je vous demande pardon, dis-je rapidement, dès que je l'eus salué.

Il me regarda étonné.

— Je te l'ai dit, mon petit, ce n'est pas de ta faute, tu ne pouvais savoir.

— Ce n'est pas cela...

J'hésitais.

— Parle sans crainte, tu sais que tu peux tout me dire.

— Je vous demande pardon... car un instant, j'ai perdu confiance en vous, et rougissant j'ajoutais : j'ai cru que vous n'étiez pas celui que je pensais.

— Il ne faut *jamais* perdre confiance en l'autre, quel que soit cet autre, dit-il, sans une ombre de mécontentement. Mais il ne faut jamais croire l'autre parfait. Celui qui fait de lui un dieu, s'aperçoit un jour qu'il n'est qu'un homme. *L'aimer, c'est l'aimer tel qu'il est,* avec ses richesses, mais aussi ses faiblesses.

Brusquement soulagé, heureux de m'être libéré, j'eus envie de lui crier : « Je vous aime ! » Mais je n'osais pas. Je me contentais d'espérer de toutes mes forces qu'à mon sourire, il le devina et le crut.

C'est mon ami qui rompit le silence. Sans que je lui demande. Il parla lentement, péniblement.

— Mon épouse est partie pour suivre un autre homme, que plus que moi elle croyait aimer. Elle s'est éloignée emportant avec elle une partie de moi-même. Mon bonheur n'a duré que quelques courtes années, mais ma souffrance demeure, car on souffre toujours d'un membre amputé, même si on parvient à accepter la dure réalité de la définitive amputation.

Mon cœur devint une terre sauvage, envahie, étouffée, par les herbes mauvaises. Je connus la rancune et je l'avoue, le goût amer de la haine. Il me fallut lutter de toutes mes forces pour retrouver la paix. Elle ne revint que lorsque mon cœur déchiré, accueillit enfin la semence, du pardon. Alors *l'amour a refleuri*. Mais de combien d'efforts et de soins je dus entretenir cette fleur fragile.

Aujourd'hui, j'aime encore celle qui demeure ma femme.

Je prie pour qu'elle soit heureuse... et que « lui » aussi, malgré tout, il le soit.

Avais-je fait tout ce qu'il fallait pour offrir à mon épouse le bonheur qu'elle cherchait ? Je le croyais. Mais devant l'échec de son couple, qui peut certifier qu'il n'est en rien, responsable ?

Refaisant mille fois en pensée le chemin que nous avions parcouru ensemble, je tentais de découvrir mes faux pas. J'en repérai certains.

On ne m'avait pas montré la route. On ne m'avait pas dit quels étaient les obstacles. Surtout, on ne m'avait pas aidé *à me préparer* à les franchir.

« Elle » aussi croyait que seuls les baisers suffisaient pour bâtir un foyer !

Comprends-tu maintenant pourquoi je te dis et te redis qu'aimer est difficile et qu'il faut longtemps apprendre avant d'y parvenir ? Je voudrais tant que d'autres que moi ne renouvellent pas mes erreurs et ne connaissent pas mes tourments !

— Comme vous avez dû souffrir !

— Oui, mon petit, de ma souffrance, mais aussi plus tard de celle des autres !

— Je ne comprends pas.

— Lorsque je connus enfin la paix, je découvris que mon épreuve elle-même pouvait être féconde. Puisque mon cœur brisé avait survécu, puisque libéré des liens de rancœur il recommençait à battre, il distillerait, purifié, un amour plus vrai.

Mon épouse désormais serait la solitude, mais mon cœur disponible, chaque jour accueillerait ceux qui peinent, pour leur offrir gratuitement le pain dont ils étaient privés.

Ils vinrent vers moi sans que je les sollicite. De plus en plus nombreux ils frappèrent à ma porte. Je leur ouvris, et je souffris avec eux, car quand on aime authentiquement, on souffre la souffrance de ceux qu'on aime.

— Leur souffrance demeure !

— Oui, mais elle est moins lourde quand on la porte à deux. Jésus nous l'a appris. Il ne nous a pas ôté nos souffrances, Il s'est offert pour les porter avec nous. A ceux qui Lui donnent leurs fautes et leurs épreuves, Il offre en Son Amour une Vie restaurée...

Presque tout bas, il ajouta :

— Je crois avoir redonné un peu de vie à ceux qui croyaient la leur définitivement brisée...

Et c'est ainsi que, de mes doigts blessés, je pétrissais un pain nouveau, que je sus nourrissant.

⁂

En sortant de chez le Sage, je songeais que c'est de ce pain que souvent je venais me nourrir et je compris alors pourquoi j'avais moins faim.

29

Ce que le Sage avait vécu, d'autres le vivaient. Mais eux le vivaient mal. Qui pouvait comme lui ne pas maudire l'inhumaine solitude dominer leurs rancœurs, assumer leurs souffrances ?

Beaucoup de ces naufragés de l'amour venaient trouver le Sage, et celui-ci leur parlait.

Comment pouvait-il les aider à porter leur fardeau ?

Je le lui demandais.

⁂

— Ami, que dites-vous aux hommes qui viennent vous confier l'épreuve de leur foyer désuni ?

— Rien, mon petit. Je les écoute.

— Et quand ils ont fini de parler ?

— Je les écoute encore...

— Ils parlent à nouveau ?

— Longuement.

— Et quand enfin ils se taisent ?

— Je leur dis ce que tu m'as dit : « Comme vous devez souffrir ! », et puis je me tais, et je prie en offrant.

— Mais eux, que vous disent-ils ?

— Leurs mots sont multiples, car leur histoire est différente.

Il dit : mon cœur, s'il bat encore, ne vibre plus pour elle,
et mon corps depuis longtemps n'a plus faim de son corps.

Elle dit : il n'est pas celui dont je rêvais, il se cachait, se déguisait. Mes lèvres ne pressaient plus qu'un masque... et le masque est tombé.

Il dit : je ne pouvais plus supporter ses silences, ses froideurs et ses reproches.
J'ai trouvé un cœur accueillant et des mots de tendresse, dans une bouche qui jamais ne se dérobe.

Elle dit : il sortait visiter d'autres jardins et cueillir d'autres fleurs.
Les miennes se sont fanées. Il ne les arrosait plus.
Et de rage j'ai piétiné les pétales tombés.

Il dit . elle emplissait ma tête du bruit de ses paroles et ne pouvait entendre le murmure des miennes,
et mes mots enterrés, lave incandescente au volcan de mon cœur, s'échappaient brusquement, incendiant les débris de notre amour en miettes.

Elle dit : nos enfants ne pouvaient plus supporter nos disputes. Ils campaient sous l'orage, et même réfugiés sous la tente que pour eux nous avions péniblement dressée,
les éclairs les déchiraient à la jointure de leur cœur.

Il dit : elle me serrait si fort entre ses bras avides que j'étouffais en silence, sans pouvoir me débattre.
Quand enfin de ses liens je me suis libéré, au loin j'ai fui, en quête d'un espace où pouvoir respirer.

Elle dit : les mots sont demeurés dans sa tête enfermée,
pierres dures entassées, s'élevant comme un mur,
et le mur était trop haut, que nous pouvions franchir.

Il dit : l'habitude entre nous a élu domicile, brouillard sans visage qui cache les sourires et tue lentement la saveur des baisers.
Nous avons vieilli sans nous voir; un jour nous ne nous sommes plus reconnus.

Elle dit : Il me voulait à lui, je le voulais à moi,
et pour nous saisir, sans cesse nous nous battions,
mais le combat fini, en nos mains étonnées
il ne restait de l'autre qu'un vêtement déchiré.

Ils disent : pourquoi lutter encore ? C'était le ciel hier, aujourd'hui c'est l'enfer, car le ciel est amour et l'enfer son absence.
Nous ne voulons pas l'enfer, nous le croyons sans issue.

Ce sont ces mots-là et bien d'autres encore, que je recueille en silence, au calice de mon cœur,

pauvres mots lourds de vie blessée, qui saignent en franchissant les rives de leurs lèvres meurtries,

... et certains soirs ma coupe est débordante, quand je l'offre au Seigneur.

.....

— Mais vous, Ami, que leur dites-vous, quand enfin vous parlez ?

— Je dis, amis très chers :

L'un de vous est parti, l'autre pleure et maudit en murmurant tout bas « je t'aime encore »,
Ou tous les deux, sourire de pacotille aux lèvres, masque de carnaval sur une plaie cachée,
vous avez « d'un commun accord » et sous la bénédiction des lois, éteint les dernières braises du foyer,
et à jamais fermé la porte, sur votre amour en cendre
Mais que vous pleuriez, que vous souriez, ou que vous vous insultiez,
Quels que soient vos efforts pour reconstruire ailleurs la maison du bonheur, et dans un foyer nouveau, tenter de rallumer un feu,
Amis, pauvres amis, je vous le dis :

Vous ne pouvez vous « démarier »

Vous pouvez déchirer vos photos et détruire vos cadeaux
Vous pouvez piétiner vos souvenirs heureux, enterrés sous le poids des jours malheureux,
et peut-être essayer de partager ce qui était à deux.

Mais qui peut redonner à l'autre, la vie reçue de lui,
elle coule dans vos veines, sang mêlé à jamais,
bien au-delà de la peau jadis follement caressée,
jusqu'en la chair du cœur, aux vaisseaux irrigués

Vous ne pouvez vous « démarier »

Vous avez noué en votre enfant les fils de votre vie,
et nul jamais n'a pu dénouer ce nœud sacré.
Car ce nœud est vos deux vies, à jamais réunies en une vie nouvelle.
Et quand vous embrassez le visage de l'enfant,
Ce sont vos visages que vous baisez, en même temps que le sien

Vous ne pouvez vous « démarier »

Vous pouvez accuser l'autre, la société ou le destin.
Vous pouvez maudire l'Église, et le Dieu Tout-Puissant.
Mais sa puissance ne peut rien contre votre liberté,
Car si librement vous Lui avez demandé de s'engager avec vous, quand
vous vous engagiez,
Il demeure fidèle...

et Il ne peut vous « démarier »

— C'est trop dur m'écriai-je !

— T'ai-je dit que c'était facile d'être homme, libre, et responsable ?

— Mais l'homme est faible, il a droit à l'erreur !

— Il est faible, c'est vrai. Et *nul ne peut lui reprocher ses faiblesses,* car nul ne peut mesurer l'amour vivant au cœur de l'homme, et sa responsabilité dans un amour gâché. Mais nul ne peut lui dire qu'il peut reprendre la vie qu'il a offerte à un autre. Elle est devenue lui.

Je te le répète : ceux qui se sont librement donné leur vie, sont époux jusqu'en l'éternité (1).

... J'osais protester encore :

— Si c'est ainsi que vous vous adressez à ceux qui viennent vers vous, quêtant quelques mots d'espoir, je doute fort que ceux-ci repartent apaisés !

— Si par faiblesse je renonçais à leur parler ainsi, je ne les respecterais pas et ne les aimerais pas.

Mais j'ai beaucoup d'autres choses encore à leur dire...

— Et ils reviennent pour les entendre ?

— Oui, comme le malade revient vers le médecin qui dit la vérité.

*
**

Pour moi, aujourd'hui, je ne voulais pas écouter davantage. J'étais trop profondément troublé.

Certes, j'étais fier de l'homme et de sa liberté. Combien de fois ne l'avais-je pas réclamé pour moi. Mais je connaissais mes fautes et celles des hommes autour de moi. Ce gâchis monstrueux que nous accumulions, incapables que nous

---

(1) Sur terre, le premier moyen de communication et d'union entre les époux, c'est le corps : par la parole, les gestes de tendresse et l'étreinte. Mais quand deux corps se sont régulièrement unis, on ne peut plus les désunir au profit d'une autre union. Un corps, en effet, *ne peut pas se partager.* C'est une richesse et *une limite.* Cette limite prend fin avec la mort d'un des conjoints. *C'est pourquoi l'Église remarie les veufs qui le demandent.*

Après la mort, la vie de ressuscité sera tout autre. Notre corps sera « transformé », « spiritualisé ». Il tiendra sa place dans la relation des époux, mais cette place, elle aussi, sera tout autre, dégagée des limites de la matière.

Voir : Luc 20-27,36 — Ire aux Corinthiens 7-39,40 et 15-35,49.

Voir : Matthieu 19-1,9.

étions de bien gérer cette merveilleuse liberté si âprement défendue.

Comme beaucoup, je voulais un Dieu qui me laisse entièrement libre de décider et d'orienter ma vie... mais je voulais que ce même Dieu soit un dieu-bon-papa qui au besoin annule mes erreurs et bénisse indéfiniment mes nouvelles décisions.

Il ne le pouvait pas.

L'homme alors n'avait donc qu'un seul choix lorsqu'il décidait de fonder un foyer : renoncer à être libre, ou accepter jusqu'au bout les risques de cette liberté.

Cette fois je comprenais, mais je n'admettais pas.

Je voulais être HOMME et LIBRE... mais j'étais effrayé.

Je n'osais pas le dire au Sage. Il me fallait encore longuement réfléchir.

30

Je l'ai dit : je connaissais beaucoup de couples désunis. Autour de moi, leur nombre augmentait à tel point, que je me demandais si réussir aujourd'hui son foyer n'était pas une exceptionnelle prouesse.

Certes, je m'expliquais de mieux en mieux l'insistance du Sage à réclamer pour les jeunes une sérieuse préparation. Qui pouvait aimer sans savoir qu'est-ce qu'aimer, et sans apprendre à aimer ?

J'admirais également de plus en plus la grandeur des hommes appelés à s'engager librement pour une vie entière, et je commençais à m'émerveiller de l'infini respect de Dieu devant leurs décisions, Lui qui acceptait de les sceller de son Amour, s'ils le Lui demandaient.

Mais il restait ces nombreux échecs que j'observais, et leurs douloureuses conséquences...

Le Sage m'avait dit, que si l'homme le voulait, depuis la croix de Jésus-Christ, il n'y avait jamais plus d'échec total. Je le souhaitais de toutes mes forces, mais ne voyais pas comment, puisque mon Ami disait également que l'homme ne pouvait se démarier pour tenter de se marier une nouvelle fois.

A nouveau, je désirais qu'il m'éclaire.

*
**

— L'amour est comme grain de blé, me dit d'abord le Sage,
Dans le froid, dans la nuit, enterré, oublié,
aux yeux des vivants, quelquefois il a semblé mourir.
Mais cette mort est fausse qui annonce la vie,
si le grain ne cesse d'être arrosé, et chauffé de soleil.

Les saisons de l'amour sont saisons de la vie.
Certains hivers sont doux, à ceux qui s'en préservent,
à d'autres ils sont cruels, quand tombent une à une les folles illusions,
et souffle le vent glacial des désillusions.

Des printemps sont joyeux, fêtes de fleurs et de fruits qui s'annoncent,
mais d'autres sont troublants, saveurs énivrantes pour les cœurs affolés.

Les étés sont moissons pour ceux qui ont longuement labouré et dans la confiance semé,
mais aussi quelquefois flammes allumées aux amours de midi,
qui dessèchent les âmes et incendient les corps à la sève brûlante

Jardiniers de l'amour, sachez que l'amour se cultive
et que beaucoup sont vivants, que l'on croyait mourants.

— Mais certains hommes sont ignorants dis-je, ils ne savent cultiver, et leur amour anémié ne pourra pas survivre !

— Il est des médecins du cœur mon petit, amis très sûrs, hommes de Dieu, qui peuvent aider à soigner les amours malades.

*
**

Cela, je le comprenais. Observant mes parents, combien de fois n'avais-je pas pensé qu'ils auraient pu éviter bien des heurts et des souffrances si quelqu'un les avait aidés à dépasser leurs multiples incompréhensions, et leur permettre de s'épouser enfin tels qu'ils étaient, et non tels qu'ils voulaient l'un et l'autre qu'ils soient.

Mais pour beaucoup d'époux, il était trop tard. Ils avaient enterré l'amour qu'ils croyaient mort et sur la terre piétinée, tenté d'en faire pousser un nouveau. Mais pouvaient-ils y parvenir si Dieu les rejetait !

***

Quand je le dis au Sage, il se dressa, subitement violent.

— Tais-toi me dit-il. *Ce n'est JAMAIS Dieu qui nous rejette.* C'est nous qui nous éloignons de Lui.

— Que doivent-ils faire alors, les amants désunis qui ont choisi un nouveau compagnon, une nouvelle compagne ?

— Qu'ils reconnaissent d'abord leurs faiblesses, et puis qu'ils prient pour obtenir la Lumière.

— Comment ?

— Comme des enfants qui souffrent :

O mon Dieu comprends-moi, Toi qui comprends si bien
tes fils qui sont fidèles,
comme tes fils pécheurs.
Je n'ai pu vivre solitaire, abandonné, perdu,
mon cœur avait trop froid
et mon corps trop faim

Comment pouvais-je seul en la vie, naviguer sur mer déchaînée,
mât cassé et voiles déchirées,

Sans chercher quelqu'un pour m'aider à réparer ma barque,
et continuer la traversée

Comment pouvais-je, femme, nourrir seule, des enfants mutilés,
Quand blessée, exsangue, vide du sang d'amour,
de mon sein tari, ils réclamaient le lait.

Je n'ai point refusé, mon Dieu, un peu d'amour offert,
et quelques brins de bonheur, au creux de mes mains vides.
J'ai tenté de tisser un nouveau nid d'accueil pour remplacer le nid détruit
Et je n'ose bouger sur mon amour tout neuf,
de peur qu'il ne s'envole comme un oiseau craintif.

Malgré mes blessures et malgré mon fardeau, je suis heureux, je le crois,
arc-en-ciel timide, dans mon ciel de nuages.
O mon Dieu, je t'en supplie, ne ravit pas ma joie !
... Mais j'ai peur et je doute,
Car on me dit que tu ne peux bénir ce foyer d'aujourd'hui.
Pourquoi mon Dieu ? Pourquoi ?
Est-ce mal de tenter d'être heureux quand on a tant souffert,
ou seulement gâché un bonheur éphémère ?

Aime-moi mon Dieu, ne m'abandonne pas,
car de Toi aussi, j'ai besoin d'être aimé,
Et puisque, aujourd'hui, je tente d'aimer mieux,
puis-je t'offrir au moins ces miettes d'amour nouveau, que je crois
être amour ?

*
**

— Ami, connaissez-vous la réponse de Dieu ?

Je l'ai longuement attendue, mon petit. Les hommes trop souvent se découragent devant ce qu'ils croient être son silence. Ils se trompent. Je sais maintenant que Dieu parle, mais que nous ne l'entendons pas.

J'ai écouté, purifiant mon cœur, et j'ai peu à peu perçu le

murmure de Sa voix. Alors, à ceux qui se présentaient de plus en plus nombreux aux portes de ma maison, aux portes de mon cœur, j'osais enfin transmettre la réponse que j'avais cru entendre.

— Je crois, mon petit, que Dieu parlait ainsi :

Mon enfant, je t'ai toujours aimé, et je t'aime toujours
Un vrai père ne rejette jamais son fils
même si, fils prodigue, il s'éloigne de lui.

Tu n'as pu vivre seul, je connais ta faiblesse... et c'est toi qui décides.
Tu es libre, mon enfant, par amour pour toi je l'ai voulu ainsi.
Mais il est vrai que je ne puis dénouer le lien qu'ensemble,
vous et moi, nous avions noué.
Mon Église elle-même n'y peut rien (1),
car je suis l'AMOUR
et l'AMOUR est fidèle,
et de moi vous ne pouvez obtenir que je sois infidèle.

Enfant très cher, tu souffres. Je comprends ta souffrance,
j'accueille ta prière, et même la violence de tes mots,
car qui peut les égrener doucement quand le cœur saigne et le corps se déchire
Mais mon enfant, sais-tu que ta souffrance est mienne ?
Ma croix n'est pas d'hier, mais aussi d'aujourd'hui ;
elle sera demain,
Car ma passion est plus que coups, épines et clous,
elle est souffrance infinie de l'Amour bafoué.

Les hommes n'ont pas fini de me clouer au bois,
les bras écartelés jusqu'à la fin des temps.

---

(1) L'Église ne peut rompre le lien du mariage. Il est de Dieu. Elle peut seulement quelquefois reconnaître sa nullité : il n'y a pas eu mariage. Marc 10-6,9.

Mais au bout de ces longs bras, mes deux mains grandes ouvertes,
je vous porte chacun, chers enfants, séparés,
et mon cœur est au Centre, qui vous unit toujours,
car mon cœur est VIVANT et continue d'aimer.

Fais confiance mon enfant, et viens vers Moi sans crainte,
nombreuses sont les routes pour Me joindre et Moi pour te rejoindre.
Accepte la souffrance de la déchirure,
et puisque comme mon Église éclatée, tu ne peux témoigner de l'unité gardée,
que la douleur de la désunion témoigne de la grandeur de l'union

...Mais surtout, enfant très cher, reconnais tes erreurs, tes faiblesses,
demande pardon,
et pardonne à qui tu dois pardonner,
car l'amour ne peut revivre en un cœur qui se ferme.

Alors, je te le dis,
donne-moi sans hésiter, ces balbutiements de ton amour nouveau,
sur ma croix je les accueillerai,
...et m'occuperai du reste !

***

Je crois que ce jour-là, je compris l'essentiel : de nos désunions Dieu souffre en Jésus crucifié, mais si nous le voulons nous sauve, EN NOUS AIMANT TOUJOURS.

31

Comme d'habitude, je m'étais assis en face de mon Ami. Je savais qu'il avait besoin de me regarder, et moi j'avais besoin de son regard.

J'allais parler, mais l'Enfant est entré. Il embrassa le Sage, se promena dans la pièce, toucha quelques objets, tira un à un les deux tiroirs du bureau où étaient rangés : crayons, gommes, et mille petites choses qui sont abandonnées là, parce qu'on ne sait plus où les mettre. Il inspectait silencieusement ce qui était pour lui, je le devinais, une caverne aux trésors. Le Sage l'observait, amusé et heureux. Visiblement, l'Enfant se sentait chez lui et il s'y trouvait bien.

J'avais dans ma poche quelques bonbons et lui en offris un. Il me regarda, surpris, s'en empara vivement, me remercia d'un mot, et sortit en croquant son butin.

*
**

Le Sage, maintenant, me regardait songeur, et je crus le déceler, un peu triste.

— C'est de ton attention et de ton affection dont l'Enfant avait besoin, me dit-il, et non d'abord de ton bonbon.

— Mais il en avait envie, dis-je, je l'ai vu quand je lui ai tendu.

— Il en avait envie, mais pour lui, était-il nécessaire ? Son envie satisfaite, elle renaîtra l'instant d'après, et l'Enfant reviendra pour obtenir de toi les bonbons qu'il attend. Ainsi beaucoup de grandes personnes donnent aux enfants l'accessoire, mais les privent de l'essentiel.

— C'est parce qu'ils les aiment, qu'ils veulent leur faire plaisir.

— Souvent, hélas, parce qu'ils cherchent à se faire aimer... peut-être même à se faire pardonner !

Ce ne sont pas les bonbons, mais l'amour qui fait grandir les enfants. Beaucoup sont sous-développés ou mal développés, parce que d'une façon ou d'une autre mal aimés...

Ainsi l'enfant enseveli, étouffé, sous ses jouets, et qui n'a plus de désirs puisque tous ses désirs sont satisfaits avant même qu'ils n'apparaissent et ne grandissent.

L'enfant unique dont les parents lui refusent le frère ou la sœur qu'il désire, parce qu'ils préfèrent une maison, les sports d'hiver ou la voiture.

L'enfant condamné au restaurant, qui sur sa chaise s'impatiente devant son assiette trop pleine, tandis que ses parents n'en finissent pas de manger, de boire et de parler... à moins qu'eux aussi n'en finissent pas de s'ennuyer.

L'enfant captif, écœuré de kilomètres, et qui s'énerve à l'arrière de la voiture, maison roulante pour petits d'hommes qui ne savent plus marcher.

L'enfant abandonné le matin, parce que ses parents « vont travailler pour lui », ou abandonné le soir, parce que, généreux, ils s'occupent du monde entier et des enfants des autres.

L'enfant abreuvé de bruit, nourri d'images, et qu'on laisse tard devant la vitre de la télévision, fasciné, comme papillon de nuit se heurtant sans fin au carreau de lumière.

L'enfant animal savant qui doit courir de l'école de chaque jour, à l'école de musique et à l'école de sport, et qui n'a plus le temps de jouer, de flâner, de rêver.

L'enfant qu'on veut déjà enrôler pour de grandes causes, et dont même le jeu est un jeu orienté,

et l'enfant qui joue toujours seul, et s'invente des partenaires pour des parties de rêve.

L'enfant qui n'a pas le droit de se salir, de bouger, de parler, ou l'enfant qui a le droit de tout faire parce qu'il est trésor unique qu'il faut toujours satisfaire, pour tenter de le garder.

L'enfant aux parents édredons sur lesquels il peut frapper et des mots et des poings, ou parents en béton sur lequel il se heurte et se blesse sans obtenir de réponse.

L'enfant qui ne sait pas pourquoi il est là, pourquoi il vit... parce que ses parents ne le savent pas eux-mêmes,

ou parce qu'ils l'ont eu « par accident » et qu'après avoir hésité, ils ont enfin décidé de le laisser vivre

ou parce qu'un jour « ils en ont eu envie »

parce qu'on se marie pour avoir un enfant
parce que c'est l'habitude
parce que c'est tellement gentil un bébé
parce que ça distrait et ça meuble les solitudes
parce que ça peut consolider un couple désuni
parce que c'est une garantie pour ne pas vieillir et mourir seul...

Au fur et à mesure qu'il parlait, le Sage s'était emporté. Redressé de toute sa taille, il lançait les mots avec force, comme s'il voulait atteindre de lointains adversaires. En son regard une flamme s'était allumée. C'était le feu de la colère.

Vous êtes très sévère, dis-je !

— Pardonne-moi, mon petit, murmura-t-il, redevenu subitement calme, c'est vrai, je le suis, mais je ne peux supporter de voir des enfants abîmés. C'est tellement beau, c'est tellement grand, un enfant !

Enfant,
sangs mêlés,
vies mêlées,
cœurs mêlés,
Homme et femme à jamais unis, soudés, noués,
en leur amour fait chair

Enfant,
chef-d'œuvre inimitable,
trésor inestimable,
nouvelle étoile allumée au ciel de la terre, parmi les milliards et les milliards d'étoiles nécessaires,
« TOI », personne unique, qui jamais ne parus et ne paraîtras plus.

Enfant,
chéri de l'homme,
béni de Dieu,
désir éternel du Père,
qui prend corps
quand en l'amour il rencontre, O merveille, le libre désir de l'homme.

Enfant,
enfant de l'homme,
enfant de Dieu,
membre d'un Corps inachevé, mais sans TOI amputé,
Corps Humanité
Corps de Christ
qui depuis l'aube des temps grandit en terre,
pour s'élever jusqu'en ciel.

Comment Dieu a-t-il pu, incompréhensible folie d'amour
à l'homme remettre ce pouvoir,
en son corps la sève
en son cœur le désir,
qu'il puisse avec Lui, TE créer, vie nouvelle,
source neuve jaillie sur la terre des hommes
aurore d'un fleuve immense, appelé à couler jusqu'en éternité !

Parents le saviez-vous ?

Lorsque vous-mêmes riches de toute la vie reçue,
vie devenue VÔTRE parce que vie DONNÉE,
Vous n'avez pas voulu, tristes parasites,
Vivre sur ce trésor gratuitement offert,
sans vouloir à votre tour, gratuitement le transmettre,

Lorsque grandi d'amour, corps et âme, à un autre vous vous êtes donné, accueillant de cet autre son Unique cadeau,
Lorsque à pleines gorgées de cette vie offerte, vous vous abreuviez, refusant qu'elle demeure en vous deux, jalousement conservée,

Lorsque la sève en vos veines, frémissante, bouillonnante, cherchait son chemin en désirant la fleur et réclamant son fruit,
Lorsque vos corps en fête, palpitants de plaisir dans le lit de la vie, vos cœurs à cette sève, avaient ouvert grande, la route de l'enfant,

Parents, le saviez-vous ?

Comblant alors l'Attente amoureuse de votre Père qui est aux cieux,
Vous étiez enveloppés de sa JOIE infinie.

Mais n'oubliez jamais, parents,
que cette vie, si vous l'avez authentiquement *donnée,*
vous ne pourrez jamais à l'enfant la réclamer.
Elle est pour lui, elle est à lui,
Votre vie, devenue Autre vie,
« LUI » à jamais.

Quand vous aurez fini de l'aider, à naître et à grandir,
du sein de la famille un jour il s'envolera,
comme un jour il sortit du sein de sa maman,
... et vos cœurs saigneront, comme a saigné son corps,
mais la JOIE paraîtra,
la *seule* qui vous revient
— merveilleuse réussite de l'amour —
Joie que cette vie donnée, il la donne à son tour.

⁂

Vois-tu, mon petit, dit le Sage en me raccompagnant : pour de vrais parents authentiquement amoureux, avoir des enfants est un bonheur immense, aux couleurs d'infini, car l'amour est de Dieu et Dieu attend son fruit. Mais le fruit pour naître, a déchiré la graine, et de la fleur fait tomber les pétales. Donner la vie, c'est aussi accepter de souffrir, en acceptant la JOIE.

32

Je comprenais maintenant la grandeur, la beauté de l'enfant. Parallèlement, je mesurais la responsabilité de ceux qui le faisaient.

J'ai dit précédemment combien, adolescent, j'avais été préoccupé de mon origine, me demandant si j'avais été accueilli avec joie, ou comme un trouble-fête. Qu'importe, ce soir j'étais heureux, ayant découvert je le crois, l'essentiel : j'avais été *désiré infiniment par Dieu.* Maladroitement je L'en remerçiais, Lui demandant de ne pas décevoir son amour infini.

...

Je me mis alors à rêver, d'une fille enfin rencontrée, et de l'enfant que nous ferions ensemble, l'ayant désiré comme Dieu le désirait.

Le Sage avait-il connu cette joie de la paternité ? J'hésitais à le lui demander. Devant lui, la question pourtant vint toute simple et je ne devais pas le regretter.

***

— Ami, avez-vous eu des enfants, lui demandais-je à brûle-pourpoint ?

— De ma chair, aucun, me dit-il. De mon cœur, beaucoup !

— Et cet Enfant que vous semblez tant aimer, est l'un de ceux-là ?

— Oui. Celui-ci est l'Enfant déchiré. Il rencontre son père quelquefois, et quelquefois sa mère, mais jamais il ne les voit ensemble. A la jointure de son cœur le coin est ainsi enfoncé, et la blessure saigne de l'amour brisé.

J'essaye de compenser la vie qui se répand, mais en l'Enfant la plaie reste béante, même quand elle est cachée.

— Vous consolez l'Enfant...

— Non, je lui dis la vérité : « Tu souffres. Tu souffriras. Mais tu peux réussir ta vie et sauver à jamais l'amour de tes parents » :

Enfants déchirés, aux parents séparés,
Vous êtes carrefour, de routes qui divergent,
lieux de rencontre, des cœurs dans la nuit.
Vous êtes les liens qui ne peuvent être dénoués,
les chairs qui ne peuvent être désunies.
Vous êtes votre père et votre mère, qui en vous ne peuvent divorcer,
et leur amour qui survit, tant que vous, vous vivez.
Vous êtes « eux », à jamais épousés.

Enfants abandonnés, aux parents inconnus,
Vous êtes les Visages, de pères et de mères, à vos yeux sans visage
fleurs nouvelles, sans nom, aux herbiers bien classés,
Vous êtes vies jaillies, de désirs sans bornes
mais comblant vous aussi, les désirs de Dieu,
vous êtes ses enfants, plus que d'autres encore,
puisque cœurs inhabités, disponibles à son Amour de Père.

Si vous le voulez, enfants abandonnés,
le Père vous « élèvera », comme ses fils chéris
car la place en vous, toute grande, Lui est faite,

sans être disputée par des parents savants,
qui souvent pensent mieux faire, que le Père de la vie.

Enfants déchirés,
Enfants abandonnés,
VIVEZ !
Vivez de tout votre corps, de tout votre cœur,
et si vous le pouvez, priez ainsi :

Me voici devant TOI, mon Dieu,
O mon Père fidèle,
Riche de ma vie,
Maître de mon avenir,
Car cette vie est à moi, puisqu'elle me fut donnée,
... ou bien abandonnée.
Je l'accepte, et j'accepte la souffrance, de mes branches cassées,
même si de mon arbre j'ignore les racines,
Car le soleil de ton Amour, Seigneur, brille pour tous,
il perce irrésistible les plus épais nuages,
et mes fruits mûriront, si je vis en plein jour,
hors des nuits de rancœur, et l'ombre des regrets.

Aide-moi, ô mon Dieu, à vivre, et réussir ma vie,
pour que vivent mieux, mes enfants de demain.
Car si d'un père et d'une mère unis, je ne fus pleinement aimé,
de l'amour des parents, j'ai mesuré l'immense nécessité,
en sondant chaque jour, la profondeur de ma blessure,
Et je sais maintenant combien la souffrance est sévère, mais maîtresse savante,
pour qui sait apprendre d'elle, ses leçons infaillibles.

Aide-moi, ô mon Dieu, à vivre et réussir ma vie,
pour qu'en moi et par moi, vivent mieux mes parents,
puisqu'on m'a dit que je suis, leur amour fait chair,
même si cet amour ne fut, que pauvre amour d'un instant.

Aide-moi alors à grandir, pour qu'eux aussi, grandissent,
à aimer, pour qu'ils aiment,
à donner ma vie, pour que leur vie fleurisse,

et mystérieusement,
silencieusement,
avec Toi, ô mon Père,
j'engendrerai mes parents,
je leur donnerai la vie,
je les élèverai,
et je les sauverai,
en sauvant leur amour !

*
**

Alors l'Enfant revint qui cherchait un bonbon — le Sage avait raison — Il n'en eut pas de moi, mais il eut un baiser, et main dans la main, nous partîmes ensemble, en partageant nos mots.

33

C'est étrange comme j'avais évolué.

Je cherchais d'abord en la fille — supputant d'un œil que je disais averti — la qualité de plaisirs qu'elle pourrait me donner. Puis je quêtais de plus en plus la tendresse, découvrant que sous mon personnage avide et secoué de désirs, battait un cœur sensible, souffrant de solitude. Serai-je aimé ?

Mais j'étais toujours centré sur moi. En quête de mon propre bonheur, ignorant que je ne le trouverai qu'en sortant de chez moi, pour chercher le bonheur des autres, et le bonheur « d'une » autre.

Je parvins enfin à considérer les filles, non comme des « objets » de plaisir ou même de tendresse, mais peu à peu comme des personnes, méritant d'être par moi comblées, à cause de leur sourire, à cause de leur cœur, à cause « d'elles ». Et je me souvenais de ce que m'avait dit le Sage : *il fallait, pour aimer, passer du désir de prendre, à la volonté de donner et d'accueillir.* Là était l'effort qu'il me faudrait poursuivre jusqu'au bout du chemin.

Je n'aurai jamais fini de m'apprendre à aimer. Je m'y entraînais et c'est ma vie entière qui changeait.

J'étais heureux. Le Sage le voyait.

⁂

— Bonjour « la vie » ! me dit-il quand j'entrais.

Il me souriait, heureux de ma joie affichée.

— Oui, dis-je, *je vis* et suis heureux de vivre, et demain, avec mon amour, nous donnerons la vie à des petits enfants. Nous vous les présenterons et vous verrez qu'ils seront réussis !

— Qu'avais-je dit pour que le Sage devint subitement si grave ? Il se taisait.

Je savais maintenant entendre les silences. Certains étaient joyeux ; d'autres tristes. Celui-ci était triste.

Le Sage enfin murmura… : et si vous ne pouviez pas avoir d'enfants ?…

— Nous en aurons… « à tout prix » répliquais-je fièrement. Les hommes de science aujourd'hui font des miracles. Demain ils en feront de bien plus grands encore !

— Ne dis pas cela, mon petit. *L'enfant n'est pas un droit, mais un don :* le don de l'amour, quand il rencontre l'Amour infini du Père de toute vie.

Il est vrai que les hommes grandissent et qu'ils sont capables de merveilleuses prouesses. Avec eux j'en suis fier… mais quelquefois inquiet.

— Dieu aurait-il peur de leur pouvoir, Lui qui leur a donné ?

— De leur pouvoir, sûrement pas ; de la façon dont ils s'en servent, peut-être…

Les hommes de notre génération, vois-tu, ont découvert le secret de la matière et maîtrisé la fabuleuse énergie cachée en son sein. Mais la première fois qu'ils s'en sont servis, à la face du monde, c'est pour tuer deux cent mille hommes à Hiroshima !

— Mais les savants sont au service de la vie, quand il s'agit de l'enfant à naître.

— A la condition que jamais ils n'oublient qu'ils ne sont pas les maîtres absolus de cette vie. Celle-ci dépérira s'ils la pétrissent au levain de l'orgueil, ou la fabriquent sur commande pour des hommes, persuadés comme toi que l'enfant leur est dû... à tout prix.

*
**

Je l'entends palpiter la vie, dans l'épaisseur du temps,
Mystère insondable,
Source sacrée, jaillie du cœur brûlant, de l'Amour
Je l'entends couler, sève bouillonnante, dans les veines innombrables de l'immense humanité.
Je l'entends qui appelle, exigeant le bourgeon,
quêtant deux cœurs aimants, en deux corps consentants,
pour que naisse la fleur et le fruit de la fleur,
sous le soleil de Dieu.

*
**

Croiriez-vous, hommes savants, mais ignorants de vie,
que le prestidigitateur habile
par hasard fait sortir la vie de sa boîte miracle ?
Croyez alors, que la semence que vous manipulez, entre vos pinces aseptisées,
Des milliers d'hommes l'ont faite, de leur joie, de leur peine,
Et croyez que l'enfant qui naîtra, de « l'expérience » réussie,
Jamais ne sera, de vous seul, la merveilleuse création,
puisque, depuis des siècles et des siècles, sa précieuse étoffe est tissée,
au long métier, des tisserands d'amour.
Croyez surtout, hommes savants et fiers,
que quelle que soit l'agilité de vos doigts, de plus en plus experts,
Vous ne pourrez jamais, façonner un enfant,
Sans que les doigts du Créateur, le façonnent avec vous.

Alors, si vous croyez cela, hommes savants, *collaborateurs de Dieu,*
C'est à genoux,
A genoux et priant,
Qu'humblement vous servirez la vie,
Et peut-être, célébrerez Noël, en vos crèches de verre.

Mais Dieu vous le demande-t-Il ?
Et l'homme un jour, sera-t-il capable d'aimer assez,
Pour donner à l'enfant, bien avant qu'il ne naisse,
Tout l'amour auquel, lui, *a droit,* et réclame... ?

⁂

Hommes savants, et vous tous responsables des hommes,
Écoutez-le chanter, le petit enfant de demain :

De toute éternité j'attends, désir vivant du Père,
de partir en voyage pour mon long pèlerinage.
Je viens de loin,
Je viens d'ailleurs,
Je suis en route,
en route depuis toujours.

⁂

J'ai besoin de vous tous, mes frères précédents,
qui me creusez mon lit, dans le lit de vos vies,
Et quand des siècles ayant franchi les rives successives,
Avant de mettre pied à terre,
Avant de crier mon premier cri de vie,
Avant d'éclore mon sourire tout neuf,
Avant de balbutier les premiers mots, de mon message unique,
J'ai besoin de deux regards apprivoisés,
de deux mains qui se cherchent,
de deux souffles échangés aux lèvres qui se trouvent.

J'ai besoin de deux oui, librement prononcés,
J'ai besoin de deux corps vivants, habités de deux cœurs,
corps et cœurs qui chantent, le chant d'amour des amants.

J'ai besoin pour naître, d'un père qui soit mon père, et
d'une mère qui soit mienne,
Père et mère, qui me portent en leur cœur,
Bien avant qu'en leurs bras, ils ne puissent me porter.
Mais je ne veux pas naître, de graines sélectionnées aux
laboratoires des magiciens
pas même de semences données, par de généreux inconnus
qui offrent leur surplus.
J'ai besoin d'être fait dans un long cri d'amour,
rendez-vous réussi,
stupéfiante rencontre,
racine de bonheur, en la chair plantée.
Mais je ne veux pas naître, en vos éprouvettes sans cœur,
d'une étreinte glacée, de parents sans bras, sans lèvres,
et sans chair vivante.

J'ai besoin du ventre chaud de ma mère, pour me blottir dans l'ombre,
et du battement de son cœur, qui rythme mon voyage, vers la sortie du
port.
J'ai besoin des mains, des lèvres de mon père, sur le corps de ma mère,
et de ses mots d'amour qui pleuvent sur ses dunes,
comme la rosée de nuit sur les bourgeons naissants.
Mais je ne veux pas de ventre de location, où j'entendrais des chants que
je n'entendrais plus,
Encore moins de sinistres congélateurs, où tremblant de solitude,
j'attendrais la chaleur d'un amour disponible,
sous les yeux sans regards, de voyeurs appointés
qui ne savent plus que faire de mes trop nombreux frères.

***

Quand enfin parvenu au bout de mon très long voyage,
ayant franchi victorieux, mille et dix mille obstacles,

Quand j'oserai risquer mon pied, sur la planète dure,
et paraître à vos yeux, chef-d'œuvre modelé, mais non point achevé,
J'aurai besoin pour me laver, des sueurs de la route,
des larmes de ma mère, pleurant sa joie sur moi.
J'aurai besoin de prendre mon premier bain de lumière,
sur les plages de son corps,
et d'explorer ce corps, dont je ne connaîtrai alors, que l'envers de nuit.
Mais je ne voudrais pas que ma naissance fut naufrage,
qui me jette affamé, sur un sein inconnu,
île perdue en mer, dont je n'aurais pas appris, le murmure des vagues.

***

Hommes savants, ne riez pas de ces autres savants, qui plus tard
fouilleront nos très vieilles mémoires,
mines inépuisables aujourd'hui découvertes, à leurs yeux stupéfaits.
Ils y trouveront enterrés, des milliers de souvenirs,
que jamais vous ne pourrez découvrir, au bout de vos aveugles microscopes
Car enfants nous voyons, nous entendons, nous sentons, bien avant
que sur cette terre nous apparaissions,
Et vous, *vous oubliez, que nous n'oublions rien.*

Demain, sur ces souvenirs, mystérieuses fondations, nous bâtirons nos vies,
et d'autres chercheront, pourquoi la maison n'est pas toujours, solidement bâtie,
pourquoi même quelquefois elle s'effondre, aux tempêtes du monde.
C'est que si vous pouvez, très habiles potiers, façonner nos chairs,
à l'argile soumise,
Vous oubliez que nos chairs d'enfants, sont habitées de cœur,
et la chair de nos cœurs, point ne pouvez modeler

***

Savants, je vous admire, et votre science me plaît, car je suis homme de demain.
Mais moi aussi je crains, que votre tête ne grandisse, plus vite que votre cœur,
Car vous êtes les mêmes,
qui aujourd'hui œuvrez magnifiquement, pour faire naître une vie,
tandis que demain, vous en arracherez mille aux ventres jugés trop fertiles.
Et nos plaintes et nos pleurs sont gémissements bien faibles, que vous n'entendez pas,
Car ils sont voix d'enfants, couvertes par cris d'hommes,
qui défilent fièrement, pour défendre... vos libertés !

Enfants, nous avons peur.
Dans quel monde viendrons-nous ?

***

Hommes savants, et vous tous responsables des hommes,
Écoutez-moi encore,
Puisque de la bouche d'enfant, dit-on, sort la vérité :

Si je suis enfant, échappé du carnage nocturne,
retenu par un fil d'amour, lancé je ne sais d'où.
Si je suis enfant tombé du nid ; abandonné par père et mère envolés
ou mortellement blessés aux barreaux de leur cage
Si je suis enfant nu, sans vêtement d'amour, ou vêtements empruntés,
mais ayant droit de vivre, puisque je suis vivant.

Et si au même moment des amants pleurent, devant leur berceau vide,
se consumant du désir de choyer un enfant.
S'ils sont riches d'amour qu'ils jugent inemployé,
et qu'ils veulent, gratuitement le donner,
pour que pousse et fleurisse, ce qu'ils n'ont pas planté,
Alors, je veux bien qu'ils viennent, silencieusement me demander,
si je désire les adopter, pour mes parents de cœur.

Mais je ne veux pas d'obsédés de l'enfant, tels des collectionneurs d'objets d'art, recherchant fiévreusement la pièce rare, manquant à leur vitrine.
Je ne veux pas de clients qui ont passé commande, et réglant la facture, viennent réclamer leur bébé préfabriqué
Car je ne suis pas fait pour sauver des parents, aux membres amputés
Mais eux ont été faits, mystérieux cheminement, magnifique projet, pour sauver des enfants au cœur malade, peut-être même condamné.

... Et nous nous apprivoiserons...

Je boirai un lait, dont j'ignorai le goût,
J'écouterai des musiques inconnues, apprendrai de nouvelles chansons.
Sur vos doigts, sur vos lèvres, parents adoptés, je déchiffrerai lentement, l'alphabet de tendresse,
Et l'amour inconnu, pour moi prendra visage, à la lumière de vos yeux.

Vous grefferez vos vies, sur ma pousse sauvage, et grâce à vous je renaîtrai pour la seconde fois.
Je serai alors, riche de quatre parents,
Deux seront de ma chair, et deux seront pour mon cœur, et ma chair grandie.

Vous ne jugerez pas mes géniteurs inconnus vous les remercierez, et vous m'aiderez à les respecter,
Car il me faudra parvenir, je le sais, à les aimer dans l'ombre, si je veux pouvoir un jour, m'aimer dans la lumière.

Et si un soir d'orage, adolescent fougueux, empêtré de moi-même je vous reproche durement de m'avoir accueilli,
Ne soyez pas peinés, aimez-moi davantage,
Car vous le savez, pour qu'une greffe prenne, il faut une blessure, et la blessure fermée, demeure la cicatrice...
...
Mais je rêve...
Je rêve, car je ne suis qu'un enfant en voyage, loin de la terre ferme
Ma parole est muette et mon chant sans musique,

Ce que je vous dis tout bas, je ne pourrai le dire haut,
que le jour où *m'ayant vous-mêmes adopté*
vous aurez mis en mon cœur, assez d'amour et d'authentique liberté,
sur mes lèvres suffisamment de mots,
pour que je puisse dire : papa, maman, *je vous choisis et vous adopte*

... Alors, vous saurez que votre amour est don, et qu'il est réussi.

34

Sans un mot j'avais écouté le long chant de l'enfant à naître, et dans la nuit maintenant de plus en plus j'entendais son appel et quelquefois ses plaintes. Je me révoltais moi aussi devant l'enfant déchiré, abîmé, et je pensais en entendant certains adultes juger sévèrement les jeunes, que ces jeunes étaient leur œuvre, et qu'en les condamnant, ils se condamnaient eux-mêmes.

Mais demain, que ferai-je moi-même ?

Je sentais en effet que le moment approchait où rencontrant une fille, l'un et l'autre nous nous reconnaîtrions et bâtirions un foyer.

Pourquoi ? Je ne pourrais le dire exactement. Mais j'imagine que deux musiciens qui chacun de leur côté travaillent longuement leur partition, savent un jour qu'ils sont prêts à exécuter, devant tous, leur duo.

Devant tous ? Là était justement la question que je me posais. J'en avais d'ailleurs souvent discuté avec mes amis. Fallait-il, pour créer un foyer, le déclarer devant Monsieur le Maire, faire de longues démarches et signer des papiers ? Les lois étaient là, contraignantes, mais plus encore, ce que j'estimais être les vieilles habitudes. Il n'était guère pensable pour moi d'y échapper. Il aurait fallu me résigner à une longue bataille familiale que je n'avais pas le courage de déclencher. L'enjeu n'en valait pas la peine.

Il reste que je trouvais ces coutumes totalement dépassées.

Je pensais que l'amour entre deux êtres était affaire personnelle, et que leur engagement ne concernait qu'eux seuls.

Quant au mariage religieux, j'y tenais maintenant très fermement, en ignorant pourtant, je l'avoue, quel était son sens profond.

*
**

Les amoureux ne sont pas seuls au monde, me dit le Sage, et le voudraient-ils qu'ils ne le pourraient pas.

Si vous voulez, hommes et femmes réunis, vivre seuls dans l'enclos
  protégé de votre amour tout neuf,
Si vous voulez marcher main dans la main sur un chemin privé
  sans emprunter les routes où cheminent vos frères,
Si vous voulez, libérés de toutes contraintes,
  traverser au rouge, vous arrêter au vert,
  manger quand d'autres dorment, et dormir quand ils mangent,
Si vous voulez construire seuls la maison de vos rêves,
  y instruire vos enfants en refusant l'école,
Si vous voulez pétrir vous-mêmes votre pain, tisser vos vêtements,
  éclairer vos soirées, réchauffer vos hivers...

Vous êtes libres,
Mais alors partez, marchez, courez, vers un pays désert
... et mourez dans un trou,
  seuls avec votre amour.

Mais si, main dans la main, vous voulez parcourir votre route,
  la choisissant parmi celles, que les autres ont tracées,
Si vous voulez habiter la maison, que d'autres ont construite,
  y vivre en paix, protégés par des hommes veilleurs,
Si vous voulez ensemble, manger le pain que d'autres ont cuit,
  tandis que vous dormiez.

Si vous voulez pour vos enfants, l'école, les maîtres et les livres,
et pour vos bras le travail, et le salaire dû,
Si vous voulez que vos frères, unis et solidaires, s'organisent
pour protéger votre santé, soigner la maladie,
vous permettent d'élever les fils, que vous avez voulus
et vivre en paix vos dernières années,
Si vous voulez des lois pour défendre ces « droits »,
des hommes pour les faire, et d'autres pour les voter,
et si vous demandez que ces lois, soient toujours sauvegardées,
Si enfin vous refusez d'être odieux profiteurs, qui exigent beaucoup des autres, tout en les ignorant...
alors *vous vous engagerez devant la société qui s'engage pour vous.*
Sur la liste des volontaires d'amour, vos noms seront inscrits,
et vous signerez votre oui, solennelle adhésion,
à cette société d'hommes qui construisent le monde.

...

J'allais parler, mais le Sage dit encore :

Un membre ne vit dans le corps, que lié aux autres membres,
et quand deux bras s'unissent pour porter lourde peine ou triomphant bonheur,
tous les membres souffrent ou se réjouissent, qui les portent avec eux.
Ainsi, l'homme et la femme, pour la vie, ne peuvent faire alliance,
sans que frémisse de joie cachée, l'humanité entière,
car l'amour est le sang de son corps, qui sans lui ne grandit.

... C'est surtout à cause de cette responsabilité, que doivent s'engager — *devant tous* — ceux qui librement décident de fonder un foyer. Et leurs parents, leurs amis, et tous les hommes, sont ensemble responsables de leur réussite.

— C'est aussi pour cela, Ami, que les croyants s'engagent devant Dieu, dans l'Eglise ?

— Pour cela et pour beaucoup d'autres raisons.

— Dites-moi, je vous en prie, pourquoi cette démarche, et pourquoi ce sacrement, qu'avec mon amour, un jour je recevrai.

— Le sacrement de mariage, mon petit, est un si grand mystère, qu'il faudrait pour en parler des mots, ciselés dans l'or pur, et je n'ai que de pauvres mots à ma disposition, moi qui n'ai su vivre ce sacrement dans la lumière, et qui péniblement aujourd'hui, tente seulement d'en vivre dans la nuit.

— Parlez quand même, Ami, j'ai besoin de savoir pour mieux me préparer.

***

Écoute, mon petit.

Dieu, de toute éternité, amoureux silencieux des hommes,
pour leur déclarer son amour, un jour choisit un peuple.
Mais fiancé volage, le peuple au cœur trop dur,
fut mille fois infidèle, à l'Amour qui appelle
... et mille fois pardonné par l'Amour fidèle.

Dieu choisit alors une Vierge, bénie entre toutes les femmes,
pour lui murmurer tout bas les secrets de l'Amour,
Et la Parole méditée en son cœur disponible,
dans son corps prit racine, à l'ombre de l'Esprit
... et *par Marie, Dieu en Jésus, épousa l'humanité.*
Épousaille réussie.
OUI parfait de l'Alliance nouvelle, scellée jusqu'en éternité.

***

Dieu désormais est parmi nous, l'un de nous, notre frère,
Cœur de Dieu

Corps de Dieu
livré en Jésus, bras ouverts,
sur la croix crucifié, par l'infidélité
Cœur de Dieu
Corps de Dieu
vivant au-delà de la mort,
compagnon pour toujours des hommes, en peuple cheminant
Cœur de Dieu
Corps de Dieu
offert en communion, à ceux qui disent oui, à son OUI qui invite.

C'est dans ce OUI de l'Alliance nouvelle, OUI plus grand que la terre ronde,
et plus large que les rives du temps,
Que depuis les premiers hommes, et les premières femmes,
balbutiant leur je t'aime, en de multiples langues,
Les couples un à un, rejoignent en chantant,
le long cortège de noce, qui traverse l'histoire.

Et dans ce long cortège, la route où chemine, l'immense cordée des croyants,
passe par l'Eglise de Jésus-Christ,
Pour que soient prononcées dans la communauté, les paroles de feu qui engagent les vies.

***

Nous savons et nous reconnaissons, ô Dieu, qu'à notre amour Tu es présent
et que de Toi, nous recevons cet immense cadeau,
cadeau devenu nôtre, et que nous nous offrons.

Nous venons devant Toi, Seigneur, célébrer cet amour et nous le déclarer,
et prononçant notre OUI pour toujours, nous entendrons le tien,
car librement nous engageant, *Tu t'engages avec nous.*

Nous croyons que ce double engagement est sacrement d'Amour,
par nous donné,
par nous reçu,
Pour que soit nouée notre alliance, en ton Alliance avec l'humanité.

Nous croyons, ô Jésus, que tu es Envoyé par le Père, pour révéler aux hommes,
l'infini de l'Amour trinitaire,
Leur offrant enfin, un Visage à contempler,
et des actes et des mots, pour nourrir leurs faims et abreuver leurs soifs.

Nous croyons que par la grâce du sacrement, nous sommes nous aussi envoyés l'un à l'autre,
pour dessiner à nos yeux émerveillés, une tremblante image de cet Amour révélé,
et nous offrir en nos gestes quotidiens,
quelques miettes nourrissantes, de cet Amour distribué.

Nous croyons que Tu as fait Alliance avec ton peuple, ton Église chérie,
et que Tu es *fidèle* à tout jamais, à la parole donnée,
Et nous croyons que notre oui, chaque jour renouvelé,
sera pour nos frères, sensible témoignage de ton OUI réussi.

Nous croyons que Tu as épousé l'humanité entière, en lui donnant ton corps,
pour avec elle, ne « faire qu'une seule chair ».
Et nous croyons que nous aussi, si purs nous sommes, délivrés d'égoïsme,
dans la joie nous offrant l'un à l'autre,
chair unie, en communion solennelle,
nous enracinerons ton Amour, dans la chair du Monde.

Nous croyons que Tu sauves nos amours qui trop souvent trébuchent, et tombent,
les libérant des poussières et des boues de la route,
Et les portant en ton cœur, haut sur la croix élevée,
les arrachent à la mort, pour les faire fleurir jusqu'au ciel de ton Père.

Et nous croyons que nous aussi, luttant pour nous aimer
chaque jour davantage,
Avec Toi victorieux des croix dressées sur nos chemins,
nous donnerons à notre amour sa dimension d'éternité.

***

Je ne comprenais pas tout. J'allais le dire au Sage, mais déjà, à nouveau il parlait :

— Ces mots ne sont que balbutiements, car on ne peut en des paroles enfermer l'infini, et nos vies hélas, peintes aux grisailles quotidiennes, ne sont que pâles reflets de la lumière offerte à nos yeux éblouis.

Tu souffriras peut-être un jour — j'en ai moi-même tant souffert — de cet humiliant décalage entre ce que nous vivons et ce que nous devrions vivre. Mais je t'en prie, ne renonce jamais à contempler le mystère d'Amour en toute sa profondeur.

Souviens-toi aussi que vous ne serez jamais seuls, ton amour et toi-même, si vous avez décidé librement d'inviter Jésus à vivre au cœur de votre foyer et si vous vous unissez à tous ceux qui tentent avec vous « d'incarner » l'Amour en ce monde qui attend.

Va mon petit :

Une brindille en flamme dans la cheminée, ne fait pas feu de bois,
Ce sont les branches toutes ensembles allumées, qui font la chaleur et la lumière,
Et certaines s'éteignent tandis que d'autres se rallument,
et la cendre est mêlée aux flammes du foyer.

Ainsi est faite notre vie, de flammes et de cendres...
Mais le feu jamais ne meurt, car c'est ensemble que nous nous consumons,
Et l'Amour allumé au cœur brûlant de Jésus-Christ.
jamais ne s'éteindra.

35

Malgré les paroles apaisantes du Sage, une fois encore je me disais : tout cela est trop beau ! J'étais comme un amateur rêvant de peindre ou de sculpter, qui regardant une œuvre d'art n'y voit d'abord que couleurs banales ou formes habituelles, mille fois répétées. Mais quand l'artiste vient devant lui détailler son œuvre, et peu à peu l'aider à en découvrir la profondeur ; quand chaque couleur, chaque forme, prend sens, et que le chef-d'œuvre en son ensemble, s'anime et devient chant du monde, alors les illusions s'envolent, tandis que se paralysent les bras de l'apprenti. Et l'esprit murmure dans le cœur qui regrette : ce n'est pas pour moi.

Ainsi le Sage m'avait fait découvrir les vraies dimensions de l'amour et maintes fois, je le répète, m'attirant ses reproches, je lui avais dit : c'est trop difficile, vous me décrivez des sommets inaccessibles pour moi.

Aujourd'hui encore, après avoir réfléchi sur le sacrement de mariage, la perspective de vivre avec Jésus-Christ notre amour de couple, m'apparaissait davantage comme une responsabilité qui me dépassait, que comme un compagnonnage qui me fortifiait.

Un autre aspect me décourageait, et plus encore peut-être m'exaspérait, voire me révoltait. J'entendais autour de moi des hommes « bien-pensants » affirmer qu'en amour, faire ceci ou cela, était mal ou très mal, tandis que je pensais que c'était normal. Les hommes d'Église, de leur côté, dressaient sur notre route, interdits sur interdits, tandis que les radios et les journaux, gourmands de sensations, faisaient claquer au vent, le bruit de leurs condamnations.

Bref, l'amour m'apparaissait alors comme un terrain miné, que bien peu d'hommes pouvaient parcourir sans danger de se perdre.

Autour de moi on souriait, riait, on se moquait, et beaucoup continuaient leur route, indifférents aux paroles de ces frères prêcheurs.

Heureusement, mon Ami ne prêchait pas ainsi. C'est pour cela que je l'écoutais. Mais ses paroles me gênaient beaucoup plus que tous ces interdits qui résonnaient à mes oreilles distraites. De ces paroles à lui, je ne pouvais pas rire..., et *c'est moi qui décidais* qu'il me fallait changer de vie.

J'ai honte de le dire, mais quelquefois je concluais... que j'aurais été plus tranquille de ne rien savoir...

Malgré tout, je continuais d'interroger mon Ami.

***

Quand j'entrais chez lui ce jour-là, une jeune fille en sortait. « Mon infirmière », dit-il en me la présentant. Je ne la regardais qu'à peine, car j'étais brusquement inquiet. Mon Ami était-il gravement malade ?

Il me rassura.

Cependant, en lui serrant la main, je constatais qu'il avait de la fièvre.

J'allais me retirer.

— Reste, me dit-il. Il faut parler encore, et une fois de plus, ajouta-t-il malicieux… te rassurer.

Je ne m'étonnais plus maintenant qu'il connût mes sentiments avant que je ne les expose. J'en tirais même une certaine satisfaction, pensant qu'il fallait beaucoup aimer son ami pour le deviner ainsi.

Il se recueillit et parla :

*
**

L'Amour est *un sommet* qui culmine en plein ciel,
et ce ciel est famille de Dieu : Père, Fils, Esprit
seul AMOUR INFINI.
L'homme ne pourra aimer, comme on aime en Dieu,
seulement le jour où, parfaitement uni à ses frères, en Jésus-Christ leur Frère,
Celui-ci les conduisant en cortège,
les fera asseoir au repas d'amour, des noces éternelles.

Mais la route, pour le couple, est sinueuse, qui veut parvenir au Sommet,
elle tourne et retourne, sur la terre des hommes,
elle monte et descend, pour remonter encore,
et quelquefois s'égare en des sentiers de rêve, qui se brisent aux parois du rocher.
Nul homme ne peut monter d'un trait, telle la flèche qui droit au but s'envole,
car l'homme ne peut voler, et n'est qu'un apprenti, qui ne sait pas marcher.
Il apprend le pas d'amour, sur les routes journalières,
.. et les couples fougueux, éblouis de bonheur,
oublient souvent que la vallée, est très loin du sommet.

Quand sur le long chemin, ces amoureux avides, cherchent en tâtonnant,
les gestes et les mots, qui nourrissent l'amour,
l'égoïsme, en leur cœur trop étroit, et leur corps trop lourd,
accumule souvent les erreurs pesantes.

Ainsi certains romans d'amour, avec des fautes sont écrits,
mais ils n'en sont pas moins précieux aux yeux de Jésus-Christ,
si humblement, fidèlement, les voyageurs en route,
tentent d'apprendre de Lui les règles d'orthographe.

Le guide cependant, s'il doit encourager, en redisant sans cesse,
que le point de départ n'est pas point d'arrivée,
Serait très mauvais guide, s'il ne rappelait en même temps,
qu'un seul mont est sommet, parmi les petits monts.
Il le serait aussi, s'il cachait aux voyageurs encordés,
la longueur de l'escalade, la dureté du rocher,
les risques de faux pas, et les chutes possibles,
pour ne venter que la splendeur du paysage, la pureté des sommets,
la chaleur du soleil et les fleurs cueillies.

Certains couples, négligeant les guides expérimentés,
s'élancent seuls, hors des sentiers tracés.
Ils disent en riant, qu'ils se sont libérés des morales astreignantes,
des tabous contraignants,
qu'ils sont assez grands pour décider du Nord, et décider du Sud,
assez forts pour marcher sans pain, sans eau, s'ils se sont égarés.
Ils naviguent alors négligeant carte et boussole, certains qu'en eux « l'instinct »
est guide plus sûr, que tristes règlements et sévères mises en garde.

***

Insensés !
Qui peut atteindre le sommet sans connaître la Route, les passages dangereux, les ravins, les crevasses !
Qui peut marcher les yeux fermés sans lire sur les bornes,
l'annonce du tournant dangereux, des multiples obstacles,
des vitesses limitées... des routes interdites !
Et qui peut négliger les conseils de ceux qui connaissent le chemin
parce qu'ils ont du voyage, itinéraire détaillé !

Insensés !
Le sportif peut-il devenir champion qui refuse de son sport les règles minutieuses
et de son entraîneur les consignes précises !
La musique peut-elle naître d'instruments rétifs aux règles des accords,
et de musiciens qui refusent, un chef pour l'orchestre.
Et l'arbre peut-il pousser, s'il n'est planté en la terre qu'il lui faut,
à l'ombre ou au soleil, abreuvé d'eau ou très vite sevré,
guidé par des tuteurs ou régulièrement taillé !

*
**

— Ainsi l'amour mon petit, possède ses lois et ses règles. Celui qui veut aimer ne peut les transgresser, sous peine de voir dépérir ou mourir l'amour.

— Mais l'amour, m'écriai-je, n'est pas un réglement à suivre, des lois à respecter ! Tout ce que vous m'avez dit, le contredit.

— Tu as raison. Aimer ce n'est pas suivre... un réglement, *c'est suivre Quelqu'un :* Jésus-Christ. Celui dont Jean disait : Il est l'AMOUR.

Lois, règles et conseils moraux, ne sont que normes et indications pour permettre la Rencontre et le compagnonnage. Il faut les respecter si l'on ne veut pas errer. Mais il ne faut jamais oublier que *le vrai Guide, c'est Lui,* le « berger » comme Il se nommait, venu dans la vallée chercher les volontaires, les rassembler, et les emmener jusqu'au sommet de la montagne.

Il chemine *avec tous.* Attentif, disponible.

Certains Le reconnaissent. D'autres pas.

Heureux, mille fois heureux, ceux qui L'identifient, et L'invitent, et Le suivent, en écoutant sa Parole.

— Mais Il ne parle plus !

— Il parle. Avec des mots de silence, que le cœur seul entend. Il parle par les responsables de sa communauté, l'Église. Mais Il a parlé, d'abord avec de vrais mots d'hommes. Nos mots à nous. Et ses mots écoutés, médités, par ses premiers compagnons, en communautés réunies, sont aujourd'hui écrits dans le Livre.

Si tu veux apprendre ce qu'est l'amour, et comment il faut aimer, tu dois lire le Livre, et regarder Jésus aimer, car Il nous a dit que nous devions aimer « *comme Il nous a aimés* ».

***

— Et les hommes d'Église, dis-je, comment parlent-ils ?

— Jésus a voulu des responsables, pour la communauté des croyants. Il a promis de les assister de son Esprit. Ils lisent sa Parole. Ils lisent aussi la vie, celle d'aujourd'hui après celle d'hier, et ils disent : pour aimer, dans telle circonstance, il faut agir ainsi.

Ou bien ils disent faire ceci, ou faire cela, ce n'est pas aimer comme Jésus le demande.

— Ils disent surtout, que ce sont des « péchés » !

— Et c'est vrai. Pécher, c'est toujours mal aimer ou ne pas aimer, car Jésus nous a laissé un seul commandement qui résume tous les autres : *aimer*. Aimer Dieu, aimer *tous* nos frères.

— Mais il y a des amours interdits !

— Aucun.

***

Je ne comprenais pas. J'avais entendu dire que Jésus, un jour avait déclaré, que désirer dans son cœur une autre femme que la sienne était un grand péché.

— La désirer et *vouloir la prendre pour soi,* oui, dit le Sage, mais *ce n'est pas aimer.*

La désirer seulement, si elle est désirable, qui peut le reprocher ?

Il nous faut souvent purifier nos désirs et nous battre longuement pour ne pas prendre ce qui n'est pas offert, et surtout, ce qui n'est pas à nous. Il nous faut aussi quelquefois lutter contre nous-même, pour ne pas accueillir de l'autre ce qu'il ne peut donner. Et ces combats et ces luttes sont une preuve d'amour, même si notre faiblesse nous fait tomber... *mais non pas renoncer à nous battre toujours.*

Ainsi, mon petit, certains hommes quelquefois, vivent davantage d'amour sur chemins interdits, que d'autres sur chemins permis.

— Tout dépend donc de notre cœur ?

— Oui. Si loyalement nous écoutons en lui, cette voix de Dieu qui parle en silence.

... Sais-tu que Jésus a dit un jour à des hommes scrupuleusement respectueux des règles et des lois, que certaines prostituées les précéderaient au royaume des cieux ? Les bornes en effet sont bien plantées sur la Route d'amour et son tracé est clair, le corps cependant prend quelquefois un chemin que le cœur ne veut pas. Seul celui qui vit, sait ce qui vit en son cœur, et nul autre que *Dieu peut mesurer la force d'amour qui le fait battre à chaque pas.*

***

J'avais compris. Les responsables qui connaissaient la Route de l'amour devaient l'enseigner aux autres, clairement, fermement. Mais je pensais aussi qu'ils devaient écouter longuement ceux qui la parcouraient. Car dire était une chose et vivre était une autre...

Et me levant pour prendre congé, je ne pus m'empêcher de dire encore au Sage :

— Si les hommes d'Église, eux qui ne sont pas mariés, écoutaient davantage les époux, ils ne s'exprimeraient peut-être pas de la même façon quand ils parlent d'amour !

— Je le pense moi aussi, dit-il. Du moins, diraient-ils peut-être les mêmes choses, mais avec d'autres mots, et plus d'encouragements. Car ils nous montrent le but... mais nous, *nous vivons les étapes,* et quelquefois péniblement.

Je crois vois-tu, de toutes mes forces, que l'Esprit de Jésus accompagne les responsables, et qu'ils doivent parler ; mais je crois aussi que l'Esprit accompagne ces innombrables pratiquants de l'amour, qui tentent de vivre leur vie de couple à la lumière de la Parole. Ils ont leur mot à dire dans la phrase complète. Car lire la Parole dans le Livre, sans l'écouter assez, murmurée dans la vie, c'est il me semble, lire l'Évangile de Jésus, une page sur deux.

***

Ce n'était pas fini. Je sentais que le Sage voulait encore parler. Mais il hésitait. Était-ce de la fatigue ? J'étais resté si longtemps ce jour-là. Ce jour-là où il était malade. A moins qu'il ne fut envahi par des souvenirs douloureux. Son visage était devenu subitement si grave.

Enfin il murmura, s'arrêtant fréquemment :

— Il y a deux situations, aux multiples visages, devant lesquelles les hommes qui savent dans leur tête, sans savoir par leur corps et leur cœur, devraient parler avec infiniment de délicatesse et de compassion… peut-être même se taire. C'est devant la souffrance et l'amour, quand ils deviennent « passion ».

.. Comment pouvoir, debout au pied d'un lit où le malade cloué, submergé de douleur, ne peut plus faire autre chose que crier et pas même prier, dire en de belles paroles comment « il faudrait » vivre cette écrasante souffrance ?…

... Comment quelqu'un qui ne connaît pas ce que c'est, que la chaleur d'un corps tendrement enlacé, et le battement d'un cœur follement emballé, peut-il, devant un homme à terre, le cœur brûlant, le corps en feu, proclamer hautement quelles sont les règles sages, pour éteindre l'incendie, quand c'est l'homme tout entier que sa passion consume !

..

... Marie au pied de la croix dressée ne disait RIEN.

Et Jésus Lui-même devant la pécheresse SE TAISAIT.

...

Mais je crois qu'ils priaient.

***

Et moi, sortant, je pensais, que le Sage avait dû beaucoup souffrir, de belles paroles répandues, sur ses plaies ouvertes.

36

J'avais découvert un nouveau visage du Sage. Lui qui m'apparaissait si dur, si intransigeant pour défendre la pureté de l'amour s'était révélé, lors de notre dernière rencontre, merveilleusement attentif aux multiples difficultés des amants. Je m'en trouvais profondément réconforté. Aimer, pour en finir, c'était toute la vie essayer d'aimer et répéter mille et mille fois le oui que je croyais unique.

Je ne saisissais pas toujours immédiatement la pensée de mon Ami. Je notais ses paroles. Je les relisais, fruits offerts qu'il fallait soigneusement éplucher avant de consommer. Certaines phrases pourtant m'atteignaient directement. Elles franchissaient la porte du cœur sans passer par la tête, et je me disais : celle-ci depuis longtemps est pour moi façonnée.

Le Sage avait dit : « le corps prend quelquefois un chemin que le cœur ne veut pas » et cette phrase, comme une flèche, m'avait atteint. Elle m'était destinée.

Je n'étais pas encore le maître de mon corps.

Depuis longtemps celui-ci m'embarrassait. Très tôt, comme tous les enfants, je le découvrais, l'explorais, l'aimais. Malheureusement, on me mit en garde contre lui, au lieu de me dire qu'il était un ami. Comment pourrais-je alors faire bon ménage avec lui !

Plus tard, je le voulais robuste et fort, et je souffrais qu'il ne le fut pas autant que celui de tel ou tel camarade qui triomphait toujours dans les multiples combats que nous nous livrions.

Plus tard encore, j'enviais certains de mes amis que je jugeais plus beaux que moi, et donc plus séduisants. Ce sont eux que les filles regardaient en premier. Tout en jouant l'indifférent, il me fallait alors user de nombreux artifices pour compenser mon handicap. J'y parvenais, mais j'étais secrètement humilié.

J'avais également très vite expérimenté que si mon corps était capable de me gêner et même quelquefois de me faire souffrir, il pouvait aussi m'offrir beaucoup de satisfactions. Il me procurait, à la demande, des plaisirs merveilleux, mais hélas fugitifs. Je devais les renouveler et plus je les renouvelais, plus mes désirs renaissaient, tenaces, tyranniques.

La rencontre des filles après avoir été pour moi une avide curiosité, était devenue une obsession ; le plaisir que nous nous donnions, un besoin ; sa satisfaction une raison de vivre. Je ne m'en étonnais pas ; les camarades que je fréquentais éprouvaient les mêmes désirs, vivaient les mêmes aventures. Nous nous les racontions, et nos histoires étaient grivoises. Tout cela était pour nous « l'amour ».

Mais très vite, au fur et à mesure de mes rencontres avec le Sage, une gêne indéfinissable s'était installée en moi. J'étais mal à l'aise, inquiet, quelquefois vaguement dégoûté. Je me rendais compte que j'avais sali quelque chose de beau, et malgré mes efforts pour regarder les filles d'un tout autre regard, j'étais souvent poussé à prendre ce que je ne voulais plus prendre.

De cette lutte, depuis longtemps, je voulais parler au Sage. Je n'osais pas. Mais ses mots de tendresse, récemment recueillis, résonnaient en moi comme une invitation.

Demain, j'oserai.

⁂

— Le corps humain est beau me dit d'abord mon Ami, et peut-être plus particulièrement celui de la femme. C'est le regard de l'homme qui quelquefois le salit en se posant sur lui.

Ainsi la main souillée défraîchit l'objet qu'elle veut saisir.

Il faut laver ses yeux avant qu'ils ne touchent un corps. L'homme peut alors le regarder, l'admirer, le respecter.

— Mon corps n'est pas beau dis-je, et quelconque est mon visage.

— Je te l'ai déjà dit, *c'est la clarté des cœurs qui fait la vraie beauté,* car les plus belles lampes sont bien ternes, quand en elles, la lumière s'est éteinte.

Tu seras beau, mon petit, si ton cœur est lumineux, et si ton corps est pour lui comme un époux fidèle.

— Mais le mien est infidèle. Je l'ai laissé s'échapper.

— Beaucoup d'hommes, il est vrai, vivent ainsi éclatés. Ils ont dit à leur corps qu'il était libre. Il en a profité. Or, aucun d'entre nous ne peut s'épanouir s'il ne tient épousé son esprit, son cœur et son corps. L'homme est un, ainsi Dieu l'a voulu, et nul ne peut diviser sans risques, ce que Dieu a uni.

Que donneras-tu de toi, mon petit, si ton corps n'est pas toi ? Et quelle vie offriras-tu à l'autre, si tu n'offres qu'un corps inhabité ?

Va, rejoins-le, et dis-lui :

Tu as été planté, mon corps, semence de mon père, dans la terre labourée au ventre de ma mère.
Tu as été pétri mon corps, de sang, de chair, de sourires, de chansons, et peut-être de pleurs...
tu as été pétri au rythme d'un cœur qui bat, dans l'attente du jour.

Tu m'as été donné, mon corps, en même temps que mon cœur et mon esprit, ensemble réunis,
pour que pas un de tes membres, pas même une parcelle,
ne puisse dire je suis, sans être autre que moi.
Tu as été mis au monde, mon corps, pour être embauché sur un dur chantier,
où rejoignant tes frères, ouvriers amoureux d'une terre donnée,
ensemble vous l'acheviez pour en faire un Royaume.
Tu as été baigné dans l'eau, mon corps, quand tes parents reconnaissant que leur enfant était aussi enfant de Dieu,
t'ont présenté à l'Église de Jésus-Christ pour que tu deviennes membre vivant de son Corps.
Tu as appris à parler, mon corps, bien au-delà des mots,
pour que des doigts, des lèvres, de tout de toi,
communiant au corps d'une autre,
tu puisses dire je t'aime, au plus fort de l'étreinte,
et qu'ensemble vous donniez un nouveau frère aux hommes,
un nouveau fils à Dieu.

Tu as été *envoyé*, mon corps, pour qu'à tous les hommes et d'abord à celle que tu aimeras,
tu puisses dire tout bas quelque chose de Dieu
Car le sais-tu mon corps,
Quand Dieu si lointain, voulut rencontrer l'homme, pour son Amour lui déclarer,
C'est *un corps* qu'Il demanda à la petite Marie,
et ce corps, elle le fit,
Lui donna, en le donnant au monde,
et Lui nous le livra,
pour que nous communions à Lui,
et qu'ensemble pour toujours, nous devenions UN
comme Lui est UN avec son Père et son Esprit.

***

Alors, dis-lui encore,
Je ne veux pas mon corps, toi l'époux de mon cœur, te traiter en simple objet de plaisirs,

et je ne veux pas qu'on s'amuse de toi, comme d'un instrument dont on use, on abuse, et rejette en riant.
Je ne veux pas mon corps que loin de moi tu t'échappes comme lâche déserteur passant une frontière, pour fuir les combats.
Je ne veux pas mon corps que tu sois autre que moi, vêtement, déguisement,
qui me trahit, me cache.
Je ne veux pas mon corps, fugueur incorrigible, que vagabondant loin de chez nous,
tu cueilles pour ton plaisir, des fruits que je n'ai pas choisis.
Je ne veux pas mon corps que tu mentes sur moi, quand tu parles de moi.

A ma musique je t'accorderai pour que ton chant soit juste
et chaque jour t'interrogerai pour que tes mots soient vrais.

Que dis-tu de moi mon corps pour révéler mon âme ?
Que dis-tu ma main dans la main de l'ami ?
Que dis-tu mon regard, lumière du cœur, à la fenêtre de mes yeux ?
Que dis-tu mon sourire, fleur éclose au jardin de mes lèvres ?
Que dis-tu mon baiser, souffle de ma vie sur le visage aimé ?
Que direz-vous mes bras amoureux, berceau où dormira mon tendre amour,
quand ensemble une seule chair nous serons devenus ?
Que direz-vous mes membres las, quand mordus par le mal
vous crierez ma souffrance et sa fille solitude ?
Et quand ma bouche se taira, mes yeux, parlerez-vous encore ?
Et quand mes yeux se fermeront, mon visage glacé,
reflèteras-tu encore la douce lumière de mon âme envolée ?

***

O corps donné,
corps aimé,
parole de mon âme,
chanson de mon amour,
Corps souvent rebelle et souvent infidèle,
Je veux de toutes mes forces, avec toi, reprendre vie commune,

Car sans toi, je ne puis être moi,
et sans moi, tu n'es que bateau ivre, qui rompant ses amarres
ne deviendra qu'épave.

Reviens vers moi mon corps, et nous vivrons ensemble,
Nous aimerons ensemble, et donnerons la vie,
Et Notre Seigneur Jésus, nous conduira unis, tout au bout du chemin,
au-delà des tombeaux,
vers la Résurrection.

***

J'allais sortir. L'infirmière entrait. Décidément nous nous croisions.

Elle tenait l'Enfant par la main et ils étaient joyeux.

— Nous avons fait connaissance, dit-elle, et je vous l'amène. Mais seulement pour un baiser. Il ne faut pas vous fatiguer.

Elle vint vers le Sage, lui toucha le front, lui prit la main et la garda un moment dans la sienne.

— Vous avez de la fièvre. Vous avez trop longtemps parlé lui dit-elle doucement, presque affectueusement, puis se redressant elle me regarda à mon tour et ajouta d'une voix ferme cette fois : « ce n'est pas raisonnable ! »

Le reproche était pour moi. Je le compris et sortis immédiatement, en maugréant contre cette infirmière que décidément je trouvais peu aimable.

37

J'avais une amie beaucoup plus âgée que moi. Elle n'était pas encore mariée. Nous la connaissions depuis longtemps, mes camarades et moi. Nous l'avions classée parmi les filles « sérieuses », c'est-à-dire trop sérieuses pour nous. Nous avions ainsi inventé des catégories dans lesquelles nous faisions entrer les filles que nous rencontrions sur nos routes de jour, ou de nos nuits. Cependant, nous respections cette amie, et moi je l'aimais comme une grande sœur, sans trop oser le dire, ou le manifester devant mes camarades. Souvent, avant de connaître le Sage, je parlais avec elle. Elle me disait des choses que le Sage plus tard me dirait. Je me moquais gentiment de ses belles idées. Je pensais alors qu'elles n'étaient que rêveries de petite fille, qui ne connaît de l'amour que de belles images. Moi, je savais !

Elle m'intriguait pourtant.

Mon amie s'était éloignée. Elle habitait maintenant loin de moi, et je ne pouvais plus vivre avec elle la joie de l'amitié. Je le regrettais, car aujourd'hui je crois, je l'aurais mieux comprise.

Je la rencontrais par hasard. Elle était toujours seule. J'étais heureux de la revoir. Je l'observais, souriante, mais un peu grave, trop réservée, et cependant riche, j'en étais sûr maintenant, de richesses inaccessibles aux yeux du passant trop volage.

Tout à coup je pensais que les garçons étaient sots de l'avoir laissée sur le chemin, marchant à côté d'elle sans l'avoir remarquée. Et je me dis que si elle avait été plus jeune, aujourd'hui je l'aurais peut-être aimée.

Elle me regardait tandis que je la regardais : Tu as beaucoup changé, me dit-elle tout à coup.

— Comment le vois-tu ?

— A ton visage, et plus encore à ton regard.

— C'est vrai, dis-je. Je te raconterai plus tard.

Et nous décidâmes de nous revoir.

Elle s'éloignait.

Attendait-elle encore ? Etait-elle résignée ? Souffrait-elle ? Je l'ignorais. Elle souriait.

Moi, j'étais triste pour elle, et je pensais : c'est injuste.

J'en parlerai au Sage.

***

Il était sérieusement malade. Cette fois j'en étais sûr. Je le vis en entrant. Allongé sur le lit il se reposait, frileusement enveloppé dans une sorte de grande houppelande. Il paraissait vieilli, amaigri. Son regard cependant gardait toute son intensité, et son sourire, sa chaleur bienfaisante.

Il fit un effort pour se lever et malgré mes protestations, péniblement rejoignit son fauteuil.

Il n'y a pas de temps à perdre dit-il… Viens près de moi. Parlons.

Mon infirmière doit revenir bientôt. Elle me disputera. Et

me regardant de son œil malicieux il ajouta : « elle est sévère, tu sais ! Je dois lui obéir ».

...

Alors, je lui parlais de mon amie.

⁂

Je connais moi aussi, dit-il, plusieurs jeunes filles qui attendent en vain qu'un jeune homme vienne et leur dise : « je t'aime ». Certaines souffrent beaucoup. Tout homme en effet, a besoin de connaître son prix, et de savoir un jour que sa vie, vaut bien une autre vie.

— Pourquoi alors, répliquais-je, certains ne rencontrent personne qui vienne le leur prouver ? Est-ce la volonté de Dieu ?

— La volonté de Dieu, répliqua-t-il vivement, *c'est que tout homme, aime*. Le reste...

— Le reste ?

— Le reste est mystère en la vie de chacun. Tissu serré d'événements, fruits de notre liberté et de celle des autres, et de cette nature qui fait pluie et soleil parce qu'elle est faite ainsi.

— On m'a dit que Dieu « conduisait tout, dans nos vies »...

— Pas moi, dit-il, s'animant à nouveau. C'est nous qui conduisons nos vies, dans le dédale souvent illisible des décisions de tous, et de chacun. Et nos vies sont pointillées de pourquoi, dont la plupart jamais sur terre, n'obtiendront de réponse. Plus tard seulement, dans la Lumière, nous découvrirons chaque « oui », et chaque « non », et pèserons leur poids d'amour ou... de péché.

— Je ne vous suis plus, Ami. Vous qui m'avez si souvent parlé de Dieu. Il est donc absent ?

— Il est infiniment présent, mon petit. Aurais-tu mal compris ? Dieu est un père aimant qui, pas à pas, accompagne chacun de ses enfants. Mais Il les laisse marcher seuls en leur offrant sans cesse la Lumière et la Force de son Amour, pour qu'ils vivent avec Lui, *ce qu'ils ont décidé de vivre.*

— Et ce qu'ils n'ont pas décidé de vivre, mais qui leur est imposé : une épreuve, la solitude ?

— Si la situation ou l'événement est là, présent, incontournable, un jour ils doivent *décider de le vivre* et non pas de le supporter. Tout, alors, peut devenir « providentiel », pour celui qui s'ouvrant à l'Amour trouve la force de *vouloir vivre ce qu'il n'a pas voulu.*

— C'est ainsi que vous parlez à la jeune fille, belle et sage, qui vient vous demander lumière pour sa route solitaire ?

— Je lui dis d'abord de chercher un compagnon.

— Et ensuite ?

— Ensuite, c'est à elle de parler, car c'est elle qui décide.

***

Attente...

O mon cœur qui bat, comme bat cœur de femme,
  tendresse disponible, fleur éclose à chaque saison de vie,
Qui viendra te cueillir en mon buisson cachée ?
Viens vite, bel inconnu,
Car si quelques fleurs j'ai offertes, que les autres ont jetées,
J'ai gardé le bouquet, mais le bouquet se fane.

O mon corps, île nue, qu'aucun navigateur n'a jamais visité,
J'ai tant envie certains soirs d'été, de lancer ma barque à la mer,
pour ramener sur mes rivages, quelque explorateur avide de richesses.
Il cherchera, découvrira, mes trésors enfouis,
et si de mon or il ne fait une alliance,
mon or aura brillé pour lui, l'espace d'une nuit.
... Mais il n'est pas venu,... en mer je ne suis pas sorti.

O mon sein, mon champ qui attend en vain, la semence d'amour,
et mes bras disponibles, les enfants de mes rêves !
A quoi sert la terre, stérile de moisson,
et les branches tendues, qui ne portent le fruit ?
Seigneur pourquoi la vie, si je ne puis la donner ?

Insouciante d'abord, j'ai regardé les garçons qui passaient,
je les ai vus saisir de mes amies, les mains tendues au bout de leur regard,
et plus tard les ai vus sortir des églises, en les tenant au bras,
Et j'ai chanté, souri, heureuse de leur joie...

Mais l'un après l'autre ils s'éloignaient, qui marchaient deux à deux,
et bientôt réunis par un trait d'union rose,
qui souriait ou pleurait en réclamant le lait,
... et moi, seule, à la maison je suis rentrée, qui n'était pas choisie.

***

On m'a dit...

O belle fille sage à la fenêtre, qui ne voit rien venir,
Peut-être te caches-tu, quand tu entends, émue, la voix des garçons parlant sous ta fenêtre ?
Peut-être as-tu grandi trop vite, et le passant ne peut plus croiser, ton regard d'horizon.

Peut-être as-tu vieilli trop vite, occupée à l'ouvrage, remplissant un « devoir »
sans compter des années, le rapide passage ?
Peut-être as-tu de l'amour une si belle image,
que le garçon rencontré, penses-tu,
n'en saura griffonner, qu'un décevant croquis ?

O belle fille sage à la fenêtre, qui ne voit rien venir,
N'espère pas l'aubade de garçons chantant sous ton balcon,
jadis les filles attendaient, que la musique vienne,
mais vous savez aujourd'hui, vous aussi, faire chanter les guitares.

N'attends pas davantage, qu'à ta porte ne frappe, un prétendant empressé,
car disait-on jadis, c'est au garçon de sonner, et à la fille d'ouvrir.
Mais qui l'a dit, qui avait droit de le dire ?
Ton cœur sait frapper fort, aussi fort que le cœur des garçons.
Ce que nul n'a droit, qu'il soit garçon ou fille,
c'est de forcer la porte, quand la porte est fermée.

O belle fille sage à la fenêtre, qui ne voit rien venir,
Il te faut descendre sur la route, mais non route déserte,
pour entrer dans la danse, des enfants qui se cherchent.
Et si tu rencontres un garçon qui te plaît... dis-le lui, pourquoi attendre ?
Peut-être lui aussi ne peut imaginer,
qu'un cœur un jour puisse se poser sur le bord de ses lèvres.

Si tu n'éprouves que de l'estime, de l'amitié, sans pouvoir dire amour,
à un ami trop souvent négligé,
Marche avec lui, et découvrez vos cœurs.
En toi, peut-être un jour, une corde vibrera, que tu croyais muette,
et tu trouveras beau le visage que tu trouvais banal...
Car un regard vois-tu peut allumer un feu, qui attendait pour prendre,
qu'on lui porte la flamme.

O belle fille sage à la fenêtre, qui ne voit rien venir,
Ne dis surtout pas que Dieu s'occupe de tes affaires,
et qu'il te faut attendre ses décisions de Maître.

Dieu n'est pas patron d'Agence matrimoniale,
et les saints, ses employés, qu'on paye d'une prière.
Il est Père qui aime ses enfants,
et les pères n'aiment pas leurs enfants
quand, sans eux, ils arrangent d'avance leur mariage.

Si enfin, après avoir sans rougir nullement,
cherché longuement, patiemment,
et par tous les moyens justes, que la vie te présente,
Tu n'as pas rencontré de compagnon de route,
Ne te résigne pas,
car *nul ne peut vivre épanoui, qui se « résigne » à vivre.*
Sache alors, que vivre célibataire, n'est pas rater sa vie,
mais la vivre autrement,
Il te faut un jour décider librement, de choisir ce que tu n'as pas choisi,
et vouloir *que ton oui soit aussi volontaire, que le oui des amants.*

*
**

Je me lèverai,
et moi aussi épouserai...

Adieu, mes rêves faux, époux volages aux folles promesses,
qui vont qui viennent
s'accrochant au visage des passants,
et me poursuivent inlassables, jusqu'aux portes de la nuit.
Adieu, amants de vent, qui se glissent en ma couche,
me tournent, et me retournent,
mais s'envolent au matin.

J'ai *décidé* d'avec vous divorcer,
Car je veux être libre de vous, pour être libre d'aimer.

J'ai parcouru de ma vie, ses premières routes, et ses premiers lacets
Mon cœur fidèle m'a guidé, et mes pas m'ont conduite,
et je suis parvenu au Tournant Inconnu.

Debout, arrêté, sur le bord du chemin, réfléchissant, priant, et peut-être pleurant,
mes yeux enfin ont accepté de regarder *DEVANT*, le paysage de ma vie.

J'ai vu la route...
unique, et clairement tracée.
Elle ne figure pas sur ma carte, où je n'ai relevé que les chemins de mes désirs,
Mais elle s'impose à moi comme unique passage,
pour me mener, fidèle, aux nombreux rendez-vous,
que sans moi, mille événements ont inscrits, sur ma feuille de route.

Je répondrai à « l'appel », étrange « vocation » tant de fois repoussée,
Et disponible, malgré tout, à l'événement imprévu *que je ne cherche plus,*
Je marcherai vers l'autel où m'attend mon Seigneur,
et prononcerai le oui, de mes noces, décidée,
après avoir vécu, si longues fiançailles.

Oui, venez tous, amis, à ces noces solennelles,
Mais vous ne verrez pas mon époux, il a mille visages,
Et moi seule le reconnais, qui s'avance vers moi,
pas fatigués, cœur anémié,
cherchant le pain de l'amitié et de la vie donnée.
Car j'ai cru longtemps, triste sort, qu'il me faudrait épouser la morne solitude,
mais aujourd'hui je la refuse, pour épouser la multitude.

***

Je serai goutte d'eau fraîche,
au visage de ceux, qui n'ont connu, la rosée de tendresse.
Je serai bras ouverts à l'enfant, cherchant asile d'affection.
Je serai ferment mêlé, à la pâte humaine,
Je labourerai les terres en friches,
et sèmerai serré, là où nul laboureur, n'offre le grain gratuit,
car j'ai dans mon cœur disponible, grande besace garnie,
pour la semence distribuer.

Au sable de ma vie je mêlerai sans cesse, le ciment de l'amour,
et rejoignant les bâtisseurs de cités, les combattants de la justice,
avec eux je construirai maisons et temples, pour les enfants du monde
Et puisque personne en mon lit ne m'attendra, pour faire communion,
je veillerai et combattrai, pendant que d'autres reposeront.

Devant Toi, mon Seigneur, je me tiendrai, cœur grand ouvert,
répétant chaque jour les oui, de mon OUI,
comme les répètent, les époux fidèles.
Et Tu me diras que tu m'aimes, comme Tu les aimes
et qu'il me faut aimer, comme ils doivent aimer.

Ainsi avec Toi, je donnerai ma vie,
je donnerai « la vie »,
Car je serai mère d'innombrables enfants,
qui viendront plus tard m'accueillir, en me disant leur nom,
dans la Lumière de ton Père, le Père des Vivants.

⁂

Mais je suis femme, Seigneur, et souffrirai toujours de ne point connaître d'homme.
Tu me comprends, Seigneur,
Car tu es homme, et tu as souffert n'est-ce pas, de ne point connaître de femme,
et de garder ton cœur et ton corps disponibles,
pour le livrer en communion, aux foules affamées.

Quand je rencontrerai la croix, qu'il m'y faudra monter,
je ne serai pas seule, abandonnée,
car je sais, depuis longtemps, Tu m'y as précédé.
Je t'y rejoindrai, Seigneur, et ensemble nous en descendrons,
car grâce à Toi, la croix n'est plus un lit de mort,
mais un chemin de VIE.

Et ma vie sera JOIE, pour aujourd'hui,
et pour l'éternité.

***

Le Sage me dit encore quelques mots. Rapidement. Il surveillait la porte. Visiblement il craignait que l'infirmière nous trouve encore en train de parler.

On frappa à la porte. C'était elle.

Elle salua gentiment… mais je n'osais affronter son regard. Je me sentais un peu coupable. Le Sage, souriant, me lança un coup d'œil complice. Lui, comme un enfant, s'amusait de notre désobéissance.

L'infirmière était maintenant dans la pièce voisine. Je l'apercevais de dos, occupée, je l'imagine, à préparer un médicament. J'en profitais pour prendre rapidement congé. Comme je me penchais vers mon Ami, il m'attira vers lui, et me murmura à l'oreille : « Elle est belle n'est-ce pas ? »

J'étais stupéfait de cette remarque du Sage. Je me sentis rougir à l'intérieur et répondis gauchement : « pas mal ! ». Il fallait bien répondre, et je n'avais à ma disposition que ce qualificatif banal, emprunté à nos fameuses « catégories » de jeunes.

Je m'éclipsais rapidement, vaguement mal à l'aise à cause de la question, et penaud de ma réponse.

***

Dehors je me disais : c'est vrai qu'elle est belle. Pourquoi ne l'ai-je pas reconnu ?… Et je m'aperçus que j'étais heureux qu'elle le fut.

38

Quelques jours plus tard, je trouvais dans ma boîte aux lettres, un mot de l'infirmière. Visiblement, il avait été rapidement griffonné. Il ne portait ni en-tête, ni formule de politesse. J'en devinais la raison. Je la comprenais. Si j'avais eu à écrire à cette infirmière, comment me serais-je exprimé ?

J'étais tout de même un peu déçu qu'elle n'ait eu pour moi aucune parole aimable... Au contraire !

Le mot disait : « Votre Ami est très fatigué. Il doit s'éloigner pour prendre un repos complet et recevoir des soins que je ne peux plus lui donner. Il sera absent très longtemps... Il a exprimé le désir de vous voir avant de partir. Il vous attend demain à l'heure habituelle. Mais de grâce, ne le fatiguez pas de vos questions. Puisque vous l'estimez, pensez à lui, et à son état de santé très préoccupant. »

J'étais atterré. Ainsi le Sage était gravement atteint. Il allait s'éloigner. Le reverrai-je un jour ? J'imaginais le pire inquiet, profondément peiné. Mais j'étais aussi agacé par cette lettre. L'infirmière paraissait au courant de mes conversations avec le Sage. Celui-ci lui avait-il parlé de moi ? J'en doutais, lui qui était si discret ! Ou bien l'avait-elle questionné ? En tout cas, cette infirmière était peut-être belle... mais elle me faisait la morale et je n'aimais pas cela.

Je décidais de visiter mon Ami avant l'heure prévue, pour éviter de la rencontrer.

*
**

Le Sage était aux trois-quarts allongé. Adossé à deux oreillers, il respirait avec difficulté. A ma vue il s'anima, esquissa un geste pour se lever, mais cette fois je m'y opposais catégoriquement. Il n'insista pas et je lus dans son obéissance, l'aveu de sa faiblesse.

Je ne lui demandais pas de nouvelles de sa santé. Je trouvais la question banale, et savais d'avance qu'il ne me répondrait, que pour me rassurer.

J'attendais qu'il parle, mais lui, comme chaque fois, attendait mes questions. Elles ne manquaient pas, et elles étaient importantes, mais j'étais décidé à ne demander au Sage que de courtes réponses. J'entrais immédiatement dans le vif du sujet.

— J'ai beaucoup réfléchi, dis-je, à ce que vous avez dit à notre dernière rencontre. Je comprends maintenant parfaitement qu'un jeune, s'il est resté célibataire malgré lui, doit un jour non pas seulement se « résigner » à cette forme de vie, mais qu'il doit l'assumer pleinement. On ne peut pas vivre toute une vie « à contrecœur ». Mais je ne comprends pas que des hommes et des femmes, puissent choisir librement de vivre célibataire. C'est anormal !

— Ce qui est anormal, je te le répète, c'est de ne point aimer. La « vocation » de tout homme, c'est d'aimer, d'épouser, de donner la vie. Mais on peut répondre à cette vocation de façons différentes. Ceux qui choisissent le célibat, *le choisissent par amour.*

— Si les prêtres ne se marient pas, c'est donc par amour.. de Dieu ?

— *Par amour de Jésus-Christ et de son Église,* peuple de Dieu, humanité par Lui rassemblée.

Les évêques qui sont les successeurs des apôtres, demandent à certains chrétiens s'ils acceptent de tout quitter pour suivre Jésus-Christ et servir son Église. Ils seront leurs collaborateurs pour annoncer l'Évangile à tous les hommes, réunir autour du Christ la communauté des croyants, et par l'Eucharistie, ne faire d'eux qu'un seul Corps.

— Ils pourraient aussi bien se consacrer à cette tâche s'ils étaient mariés !

— Peut-être plus difficilement, mais certes, ils le pourraient. Cependant, depuis de nombreux siècles, l'Église leur demande d'y consacrer leur corps, leur cœur, leur esprit, toute leur vie.

— Pourquoi ?

— Pour imiter Jésus, et *par amour* pour Lui qui, sans réserve, s'est livré à son « Peuple ». Il a fait « alliance » avec lui. Il l'a « épousé » et lui a offert non seulement son cœur tout entier disponible, mais aussi son corps tout entier réservé. Il nous le donne en communion jusqu'à la fin des temps.

— Mais Jésus Lui-même dit-on n'a pas réclamé un tel don pour les prêtres ?

— C'est exact. Pas explicitement. L'amour ne demande pas, il s'offre. Et l'Église pourrait un jour, décider d'agir autrement...

— Le souhaitez-vous ?

— Je le souhaite. Mais je souhaite aussi de toutes mes forces qu'elle continue de proposer aux volontaires, d'aller par amour, jusqu'au bout de leur don.

Jésus a dit : « Il n'y a pas de plus grande preuve d'amour que de donner sa vie pour ceux qu'on aime ».

— Les prêtres n'offrent pas toujours ce témoignage d'amour !

— Ils essayent, mais tous n'y parviennent peut-être pas pleinement.

— Mais alors où est le témoignage ?

— Certains témoignent d'un sommet, parce qu'ils y parviennent, et de là-haut font signe. D'autres cherchent sans cesse à l'atteindre, mais sans y parvenir. Ils témoignent ainsi, que le but vaut la peine d'y consacrer une vie…

… et plus bas, le Sage ajouta lentement : les époux aussi ont vocation de témoigner. Par le sacrement de mariage, je te l'ai dit, ils s'engagent à être vivants reflets de l'amour fidèle de Jésus pour son Église. Y parviennent-ils toujours ?…

Il se tut et je respectais le silence de ce douloureux aveu.

⁂

…

Fallait-il poursuivre l'entretien ?

Je pensais soudain à l'infirmière et j'eus l'étrange impression qu'elle m'observait de son regard sévère.

Je me débarrassais de son regard.

… car je voulais savoir : les prêtres étaient appelés à rendre un « service » essentiel dans l'Église et ils acceptaient par amour de tout quitter pour l'accomplir, mais les religieux, les religieuses, les moines… à quoi servaient-ils ?

Je comprenais à la rigueur ceux qui se consacraient à tous les démunis, ceux qui partaient dans le monde, ici ou là, annoncer la bonne nouvelle… mais les autres, ceux qui s'enfermaient dans les couvents et les cloîtres ?

Je n'osais plus croire, aujourd'hui, qu'ils étaient ridicules ou fous… mais alors *Pourquoi ?* Quel secret dans leur vie ? Quel mystère dans « la » vie ?

Tant pis pour l'infirmière !

Je savais que mon Ami répondrait et je sentais confusément que *j'avais besoin de cette réponse*. Non pas pour satisfaire une simple curiosité intellectuelle, ou pour répondre aux sarcasmes de mes amis, mais *pour mieux vivre mon amour*.

⁂

A quoi servent-ils ? soupira le Sage... Pauvre question d'hommes !

Hommes accrochés à cette terre qu'ils croient éternelle,
mordant le pain en leur bouche affamée,
et serrant les corps en leurs bras trop avides.
Hommes qui veulent arracher le bonheur à l'univers sauvage,
en perçant ses secrets et maîtrisant ses forces.
Hommes qui bâtissent des tours de granit et de fer,
et prétendent les monter jusqu'aux portes du ciel.
Hommes qui se lèvent et travaillent, et combattent,
et dorment, pour travailler encore et mourir exténués.
Hommes qui font des enfants, parce qu'il faut en faire...
Enfants qui à leur tour se lèveront, travailleront, combattront,
et dormiront pour travailler encore...
et mourront en sueur, et leur vie en poussière

⁂

O hommes à la tête dure, dites-moi, savez-vous ?
A quoi sert la fleur qui naît et meurt, cachée sous les fougères,
et la pierre sculptée, en haut des cathédrales,
et l'étoile allumée aux milliards d'étoiles ?
A quoi sert le musicien qui joue seul en sa chambre fermée, et le tableau valant une fortune, gardé précieusement en son coffre blindé ?

A quoi sert le bouquet de fleurs qui lentement se fane, devant la vieille photographie jaunie.
Et la jeune maman immobile et seule, contemplant extasiée son enfant endormi ?
A quoi sert l'aveugle puisqu'il ne voit, le sourd puisqu'il n'entend, le paralysé puisqu'il ne marche, et le vieillard inconscient qui n'en finit pas de mourir... ?
Et à quoi sert d'être là, quand on est là pour rien,
à côté d'un autre, qui est là ?

Hommes, le savez-vous, le savez-vous encore ?
Si vous ne le savez pas, si vous ne le savez plus,
vous êtes les plus malheureux des hommes,
car vous ne saurez jamais à quoi sert la vie,
et vous ne comprendrez jamais ce que c'est que d'aimer.

*
**

Seigneur nous avons besoin, ô oui, nous avons besoin,
de VOIR au milieu de nous des hommes et des femmes,
qui ne servent d'abord à rien, si ce n'est à aimer,
Pour découvrir et croire enfin,
que l'AMOUR est TOUT,
qu'il est la sève, et qu'il est la vie,
et la respiration, et le sang, et la Joie,
de cette immense humanité.

O Seigneur regarde-nous,
pauvres hommes marchant trop souvent, le nez dans la poussière,
les pieds salis de terre, les cœurs empêtrés de nos petits bonheurs
et l'esprit affolé de nos merveilleuses conquêtes.
Envoie-nous de ces hommes et de ces femmes volontaires d'Amour au-delà de l'amour,
non pour nous présenter des « modèles », il en est parmi nous,
non pour nous distraire de nos tâches, elles sont rudes mais belles,
non pour faire ombre à nos amours, Tu les as voulus et Tu les as bénis,

Mais pour qu'ils soient au milieu de nous, visibles ou entrevus,
des témoins de l'ESSENTIEL,
signes et lumières, dans l'épaisseur de nos vies.

Qu'ils nous rappellent :
Que la Cité des hommes est belle, mais qu'un autre Royaume,
au cœur de cette terre, grandit mystérieusement, qui n'aura pas de fin.
Que le bonheur n'est pas dans les seules nourritures terrestres,
mais dans la Parole écoutée et fidèlement vécue.
Qu'ils nous montrent :
Que la liberté suprême n'est pas de faire toujours, ce que l'on a envie de faire, mais de savoir, par amour, souvent, librement se soumettre.

Qu'ils nous prouvent par leur vie :
Que l'amour n'a pas pour seul langage, le langage des corps,
car le corps un jour se taira, tandis que le cœur toujours chantera.
Que la vie enfin peut être donnée autrement qu'en la chair,
et que toute existence est féconde à la mesure de l'amour qui l'anime.

***

Heureux ceux qui peuvent VOIR
ces hommes et ces femmes,
cœurs accueillant aux peines et joies du monde,
communautés de veilleurs, frères rassemblés,
qui se laissent aimer et chantent leur merci
en contemplant Quelqu'un, invisible présence,
Quelqu'un qui est DIEU et qui s'appelle l'AMOUR.

Heureux ceux qui peuvent COMPRENDRE
que si Dieu est Dieu,
il est juste que des volontaires,
corps, cœur, esprit, tout entier gardé
tout entier recueilli
soient là pour Lui, vies offertes gratuitement,
puisqu'Il est là, gratuitement pour nous.

*
**

Je vis que le Sage priait.

Au bout d'un long moment il murmura encore : « O mon petit, que ferons-nous demain s'il n'y a plus parmi nous de ces hommes et de ces femmes qui, à l'invitation de l'Esprit, deviennent pour nous des SIGNES, que l'AMOUR dépasse infiniment l'amour, et qu'il est *gratuit* »...

Puis il entra à nouveau dans un profond silence.

J'étais paisible, profondément heureux, car j'en étais sûr, aujourd'hui, j'avais compris. Et pour la première fois je découvrais que je n'avais plus peur. Je me sentais toujours aussi faible, mais je pensais que j'étais enfin prêt, à essayer d'aimer.

*
**

Le Sage, lui, était très fatigué. On le serait à moins. Quand il s'exprimait, longuement, passionnément, les mots de ses lèvres, coulaient rapides comme un torrent. Il s'animait si fort, que je regrettais quelquefois d'avoir devant lui, levé tous les barrages, devinant combien il devait être épuisant de parler ainsi. Et je regrettais, aujourd'hui plus encore, d'avoir été si avide de ses paroles...

Mais j'avais soif !

Était-ce possible, pensais-je alors, que je ne puisse plus venir près de mon Ami pour me désaltérer

*
**

J'entendis du bruit dans le couloir. Quelqu'un venait. C'était elle ! Déjà !

Je me sentis subitement mal à l'aise, inquiet, comme un enfant pris en défaut. Le Sage devina mon trouble, et fidèle complice, eut encore la force de sourire en me disant : « Qu'importe, c'est la dernière fois... », et pourtant soupira-t-il subitement grave : « tant de choses restaient à dire ! »

***

Elle entra, légère, lumineuse, comme un rayon de soleil.

Elle s'adressa directement au Sage « Comment allez-vous ? Encore un peu fatigué ? »

Sa voix chantait. Je n'avais jamais remarqué que sa voix chantait.

— « Ça va très bien dit le Sage, nous avons parlé, mon ami et moi. »

— Je le vois, dit-elle, en me regardant — sans reproche cette fois — et puis elle enchaîna rapidement, comme si elle avait hâte de se débarrasser d'une vague inquiétude : « Vous ne m'en voulez pas surtout ? »

— De quoi ? dis-je.

— « De la lettre. Je ne savais pas comment m'exprimer... Nous ne nous connaissons pas ! » Et je crus discerner dans sa voix un regret qui me plut... et dans mon cœur le même regret qui naissait.

— Soyez sans crainte, répliquais-je aussitôt, j'ai simplement pensé que j'aurais fait de même si j'avais été à votre place.

Elle me sourit, rassurée. Et moi je me dis que cette infirmière était beaucoup plus aimable que je ne l'avais cru.

J'aurais voulu poursuivre la conversation, mais à nouveau elle s'adressait au Sage.

— Je vais préparer les médicaments pour la nuit. Je reviendrai, vers dix heures. Je dormirai là, dans le fauteuil. Ne craignez rien, j'ai le sommeil léger. Je ne manquerai pas une seule des prescriptions du médecin.

C'est ainsi que je compris qu'elle s'apprêtait à veiller le Sage toute la nuit.

Mais, pensais-je brusquement, pourquoi pas moi ? Ma place est près de mon Ami !

Je le lui dis. Elle ne répondit rien. Regarda le Sage. D'un léger mouvement de tête, il donna son accord. Alors, à mon grand étonnement : « Venez, dit-elle, que je vous montre les médicaments que vous aurez à lui donner. Je viendrai demain matin à l'aube pour faire une piqûre... et puis notre Ami s'éloignera. On doit venir le chercher très tôt, car le voyage sera long... »

Malgré ma profonde tristesse, j'étais heureux de pouvoir passer cette dernière nuit en compagnie de mon Ami, car à son regard j'avais compris, que lui aussi était heureux.

Je remerciais l'infirmière d'un sourire, et elle me le rendit. Nous aussi nous étions devenus des amis.

39

J'étais installé dans le fauteuil du Sage. Je l'avais approché de son lit pour pouvoir observer mon Ami plus aisément. Et mon regard caressait sur son visage le sillon de ses rides, délivrant la musique du cœur. Il était beau ce visage qui, silencieux, chantait. J'écoutais.

Il dormait.

Je veillais.

Et j'étais fier de veiller.

Tout à coup, je pensais à ces hommes et à ces femmes dont nous parlions hier : veilleurs de par le monde, cœurs qui battent devant Dieu, tandis que d'autres sommeillent. Ils étaient là pour « Lui » ; amour pur. Et moi j'étais là pour mon Ami. Une nuit, gratuitement. Je l'aimais. J'eus envie de le lui dire, mais il dormait. C'était mieux.

Je m'unis à tous ces veilleurs inconnus, entrant dans ce grand courant d'amour et de vie qui inonde le monde. Et je m'étonnais que l'on puisse ainsi aimer, immobile, sans un geste, et sans que personne ne le sût. Dans la nuit.

Je priais.

⁂

Je me répétais les instructions de l'infirmière : premièrement… deuxièmement. C'était clair. Les médicaments étaient rangés, en ordre, dans la pièce à côté. Je ne pouvais pas me tromper.

L'infirmière, quel âge pouvait-elle avoir ? Je cherchais à le préciser, comptant les années d'étude, ajoutant deux années, car « elle exerçait depuis deux ans », m'avait dit le Sage. J'en concluais que je devais être un peu plus âgé qu'elle...

Ce n'était pas possible ! Si peu d'écart entre nous deux ? Elle paraissait si jeune ! Peut-être était-ce à cause de sa longue chevelure ? Ils étaient beaux ses cheveux, vagues ondulantes sur ses épaules, à chaque mouvement de la tête. Plus courts, je suis sûr que... mais ce serait un crime ! Je ne lui pardonnerais pas ! A moins que ce ne fût à cause de la clarté de ses yeux. Lumière de printemps et non celle d'été. Je m'en voulais, à la pensée d'avoir trouvé ce regard sévère. Où avais-je la tête, et le cœur ? Comment peut-on se tromper à ce point !

Et je recommençais mes calculs pour préciser son âge.

*
**

Doucement je touchais la main du Sage. Il ouvrit les yeux : « Votre médicament, dis-je, en le lui présentant. Il est l'heure ! ». Il but sans dire un mot, puis reposa sa tête sur l'oreiller. Je crus qu'il allait se rendormir, mais il se tourna légèrement vers moi :

— Il faut que je te dise...

— Non, reposez-vous. Vous ne devez pas vous fatiguer.

— Nous avons eu si peu de temps...

— Nous avons beaucoup parlé !

— ... de *quelques aspects* seulement, de cet amour unique qui anime toute la vie des hommes or :

Nul cœur ne grandit sans que grandissent, la tête, les bras et les pieds, et l'homme ne se développe pleinement, que si ses frères se développent avec lui.

L'humanité entière ne croît que liée à l'univers, matière et vie maîtrisées, ordonnées,

Et l'histoire piétine si des hommes libres ne connaissent et reconnaissent,

Celui qui chemine avec eux, les libère de ce qui les empêchent d'aimer, et leur offre sa VIE pour qu'ils aiment avec Lui.

Tout se tient, mais il n'est qu'une Route, elle va de l'AMOUR à l'AMOUR, avec Celui qui est AMOUR.

.....

A chacun d'être présent. Aimant.

— Mais présent où, osais-je dire encore ?

— J'ai moi-même hésité et trop longtemps rêvé ;

mes frères m'attendaient, peuple immense qui marche

et chacun se tenait, se tenant à sa place,

et je cherchais la mienne, me croyant trop souvent inutile,

mais l'ai trouvée à mes pieds, espace de ma vie.

Là où tu es, tu trouveras.

Regarde.

A travers l'événement, Dieu toujours fait signe.

...

— Plus tard, dis-je, quand vous reviendrez, nous parlerons encore.

Il ne répondit rien.

***

Dieu fait signe à travers l'événement. C'est vrai. Il m'avait fait signe et parlé à travers cette étrange et merveilleuse rencontre du Sage.

Mais ce qui m'était arrivé était-il si extraordinaire ? N'est-ce pas la destinée de chaque homme de rencontrer des frères, qui pour eux sont « parole », et de vivre des événements qui sont « signes » ? Mais il faut écouter, regarder, et laisser en son cœur naître cette Parole dans la parole, et cette Lumière sur la route, qui fait VOIR.

Je ne verrai peut-être plus mon Ami et j'étais infiniment triste, mais je réalisais tout à coup que j'entendrai toujours la voix du Sage, car c'est une autre Voix que j'entendais à travers la sienne.

Et celle-ci, si j'étais fidèle, jamais pour moi ne se tairait.

Je pensais alors à l'infirmière. Avait-elle quelque chose à me dire, elle aussi ? C'était évident. Mais nous ne nous connaissions pas. Elle paraissait le regretter.

Je ne l'avais pas écoutée. Je ne l'avais pas regardée. Ou si peu. Pourquoi lui avais-je refusé ce regard qui invite, et permet à l'autre de sortir de chez soi ? Qu'aurait dit son cœur, à travers ses mots ? Certains, j'en étais sûr, attendaient pour être dits que quelqu'un écouta.

Je regrettais vivement mon manque d'attention.

— A quoi penses-tu, dit le Sage ?

Je sursautais. Je ne m'étais pas aperçu que mon Ami était éveillé et qu'il m'observait attentivement. Gêné, je rougis, et rougis plus encore de me sentir rougir. Ce n'était pas mon habitude. Heureusement, mon visage n'était que faiblement éclairé. Je me trouvais d'autant plus ridicule, que je n'osais répondre.

Après un long silence, c'est lui qui murmura :

— Elle est belle, n'est-ce pas ?

— ... et cette fois je dis « oui ».

Et lui ferma les yeux sur son sourire... en ajoutant encore :

« Mais elle est belle également en son cœur !... Et toi aussi tu es beau en ton cœur ! ». Puis il détourna la tête, et je compris qu'il ne dirait plus rien.

⁂

Je m'étais assoupi, la conscience tranquille, car j'avais respecté scrupuleusement les consignes du médecin.

Le Sage était éveillé.

— Vous ne dormez pas, dis-je, vous n'êtes pas raisonnable !

— J'ai dormi. Mais il ne faut pas toujours dormir...

Écoute, il faut que je te demande pardon... Ne proteste pas, je t'en prie. Laissse-moi achever...

J'ai réfléchi et j'ai pensé que je ne t'avais pas assez dit que l'amour était JOIE. Ainsi Dieu l'a voulu. Lorsque deux êtres se rencontrent et unissent leur cœur, leur corps et toute leur vie, en eux naît un immense bonheur que nulle difficulté ne peut éteindre, si leur amour est vrai.

Aimer authentiquement, c'est *entrer dans la JOIE infinie de Dieu.*

Pardonne-moi, mais comprends-moi. J'ai rencontré tant et tant de jeunes qui s'imaginaient que l'amour est facile, et que j'ai retrouvés à terre, pleurant ou maudissant les vestiges de leurs rêves en miettes ! J'ai voulu te montrer que l'amour était beau, mais qu'il était difficile... Et puis... tu connais ma dure expérience... l'amour pour moi, si souvent fut « souffrance » !

— Je comprends, dis-je. C'est à moi de demander pardon. J'ai dû vous faire souffrir en vous faisant parler d'amour.

— Je ne regrette rien.

— Vous avez beaucoup souffert, mais vous avez beaucoup aimé.

— Pas assez. On aime jamais assez !

— Vous êtes inquiet ?

— Non, heureux et en paix, *parce que je sais que je suis aimé par Celui qui est* AMOUR.

⁂

L'heure approchait où je devrai me séparer du Sage. Je ne le verrai plus. Nous ne parlerons plus. Certes, j'irai boire à la Source de ses paroles, « le Livre », mais j'avais besoin d'un visage pour aimer, et d'une main qui se tend, et qui presse la mienne, pour savoir que j'étais aimé…

Et puis j'aurais tant voulu que mon Ami connaisse celle qui partagerait ma vie !

Elle existait m'avait-il dit… « O mon amour inconnu !… »

Et brusquement du fond de moi jaillit une question que je ne pus retenir. Je me penchais vers le Sage. Il était toujours éveillé. Je lui dis à voix basse :

— Dieu ne choisit pas pour nous notre compagne, m'avez-vous dit… mais connaît-il d'avance celle que nous choisirons ?

— Dieu est Père, mon petit. Il VOIT tous ses enfants. Pourquoi ne souhaiterait-il pas que celui-ci et celle-là se rencontrent, et se reconnaissent ? Quelquefois les pères de la terre, et ceux qui aiment, rêvent ainsi, mais peuvent se tromper. Lui ne se trompe jamais car son amour est parfait. Il sait que là serait leur bonheur. De temps en temps Il fait « signe » discrètement, à travers les personnes, les événements. . Mais chacun reste libre.

Si les enfants sont attentifs et fidèles, leur désir rencontre le désir de Dieu. Alors éclate la joie. Leur joie dans sa JOIE.

C'est beau !

***

J'avais donné au Sage son dernier médicament.

Mon Ami maintenant se reposait. Je crois qu'il dormait.

Le jour lentement se levait. Le temps était clair et je vis que se préparait un matin de lumière.

Je regardais l'heure. C'était la dernière. Elle s'écoulait lentement, très lentement. Pourquoi cette heure-là me paraissait-elle beaucoup plus longue que les précédentes ? Était-ce la fatigue ? Non, j'étais éveillé, l'esprit clair, et vaguement heureux. Je me reprochais cette joie. Nous allions nous séparer, mon Ami et moi. Comment ce sentiment pouvait-il alors trouver une place en mon cœur ? Je n'étais pas triste, mais impatient.

J'attendais. Mais j'attendais quoi ?...

Tout à coup, je compris que j'attendais « quelqu'un ». « Elle » avait dit qu'elle viendrait à l'aube. *Je l'attendais !* En mon cœur cette évidence longuement retenue, éclatait enfin, entraînant avec elle une joie intense que je ne reconnus pas, car jamais je ne l'avais connue. Je faillis réveiller le Sage pour lui révéler mon secret. Mais il dormait profondément. Je regardais la pièce maintenant doucement éclairée par les premières lueurs du jour. Rien ne bougeait. Le silence demeurait. Je m'étonnais qu'autour de moi rien ne fût changé. Alors en moi une sourde inquiétude s'éleva, nuage sur ma joie toute neuve N'était-ce pas un rêve ? Un de ces mirages de mes désirs dont tant de fois j'avais été victime ?

Je fermais les yeux pour mieux « la » voir à l'intérieur. Je la regardais. Oui, elle était belle et je constatais, heureux, que mon regard délicatement posé sur elle, ne ternissait pas son éclat.

Je cherchais d'autres preuves de l'authenticité de mon sentiment. J'imaginais un instant qu'on lui voulait du mal. Aussitôt je bondis : jamais je ne le supporterais ! Je ferais tout pour qu'elle soit heureuse ! Elle le mérite ! Et de le penser me rassura. Mais je ne la connaissais pas !... Tout cela était fou de ma part.

Et pourtant j'étais sûr !

Je regardais le Sage, mais il dormait toujours.

J'attendais.

*
**

J'attendais. Je pensais. Je lui dirai que peut-être nous pourrions nous connaître... Que si elle voulait nous sortirions ensemble. Que... mais à quoi bon rêver, je n'oserai pas parler. Moi d'habitude si hardi devant les filles, je me découvrais timide comme un enfant.

Tout à coup, le bruit, dans le couloir ; le même qu'hier. Je reconnaissais son pas. C'était elle, j'en étais sûr !

Elle ouvrit doucement la porte, mit un doigt devant sa bouche pour me faire signe de ne pas parler. Elle ne voulait pas réveiller le Sage. Mais il l'entendit, et dit doucement : « C'est l'heure, n'est-ce pas ? »

— Oui, dit-elle, puis se tournant vers moi elle ajouta gentiment : « Il faut maintenant prendre congé. Je dois faire une piqûre et préparer notre Ami. »

Je ne me décidais pas. Cloué sur place, je regardais le Sage. Lui aussi nous regardait, l'un après l'autre, en souriant.

Il paraissait heureux.

— Comme c'est beau, murmura-t-il, un jour nouveau qui se lève ! Un jour tout neuf entre nos mains.

Puis il me prit le bras et ajouta : « Va, mon petit, sors quelques instants, ce ne sera pas long. Mais revient « la » chercher... les rues sont encore désertes, tu ne vas pas la laisser partir seule ! ». Son sourire malicieux cachait difficilement son bonheur de me jouer un bon tour. Et moi, gêné, mais heureux, je compris qu'il avait entendu chanter mon cœur, avant que je ne l'entende.

Et la joie revint en moi y chassant les nuages.

... Mais « elle » ?

J'osais enfin la regarder. Je voulais parler. Je bafouillais, mais pas un mot ne sortit de mes lèvres. Elle ne fut pas plus heureuse dans sa tentative, mais elle avait à sa disposition les mots de son sourire, et son sourire me dit oui.

***

Quand je revins, le Sage était prêt Allongé sur son lit, il attendait, calme, paisible.

Je ne sais pourquoi, je remarquais aussitôt la petite valise posée sur le fauteuil. Une si petite valise, pensais-je, pour un si long voyage ! Il vit que je la regardais.

— « Il n'y a pas besoin de beaucoup de bagages, dit-il, pour partir dans la vie. Il suffit d'aimer. »

Puis à nouveau il nous regarda longuement tous les deux, affectueusement.

Après un long silence, il dit d'une voix ferme : « Allez mes enfants, il est temps de partir. » Visiblement, il voulait hâter les adieux

Elle s'approcha la première et l'embrassa : sois heureuse dit-il simplement.

Je me penchais pour l'embrasser à mon tour.

— Merci, père, vous m'avez donné la vie.

— Adieu mon enfant chéri.

Et il pleurait en souriant. Nous aussi.

Je restais une fois encore, immobile devant lui, ne pouvant détacher mon regard de ce visage aimé. C'est alors qu'elle vint vers moi, me tendit la main et prit la mienne avant que je lui donne.

Et ma main dans la sienne était oiseau tremblant.

« Viens », dit-elle. Elle m'entraîna.

Sur le pas de la porte nous regardâmes une dernière fois notre Ami. Il avait les yeux clos mais ses lèvres remuaient, et nous l'entendîmes distinctement redire une fois encore : « il n'y a pas besoin de beaucoup de bagages pour partir dans la vie, *il suffit d'aimer* ».

⁂

Dehors, au bout de la rue, le soleil se levait.

INDEX DES TEXTES
pouvant être utilisés indépendamment du contexte général

Achevé d'imprimer en mars 1986
sur presse CAMERON
dans les ateliers de la S.E.P.C.
à Saint-Amand (Cher)

N° d'éditeur : 4364. — N° d'impression : 383.
Dépôt légal : 1986, mars.
Imprimé en France